S. Fernande Clermont, C.N.D.

D0892926

SAIS-TU AIMER ?

Jean-Bernard Doyon pb.

Troisième édition

Editions Paulines & Apostolat des Editions

DU MEME AUTEUR

Prends le temps d'aimer

En préparation :
« Apprends à aimer »

Imprimatur : No 200-30

Maquette de la couverture : Antoine Pépin

ISBN 0-88840-627-4

Dépôt légal – 4e trimestre 1980
Bibliothèque nationale du Québec
Bibliothèque nationale du Canada

© 1980 Editions Paulines
      3965 est, boul. Henri–Bourassa
      Montréal, Qué., H1H 1L1

      Apostolat des Editions
      48, rue du Four
      75006 Paris

INTRODUCTION

L'homme est appelé à une grande intimité avec son Dieu. La vie de tous les jours, les événements, les personnes, les choses et la nature lui sont donnés pour connaître et aimer son Créateur.

Ces pensées, ces réflexions, ces prières veulent être une invitation, un guide dans cette recherche du Dieu Sauveur.

Elles sont prises sur le vif de la vie de tous les jours, avec ses tristesses et ses joies, ses luttes et ses efforts, ses échecs et ses succès.

Puissent-elles soutenir, encourager et stimuler celui qui, avec un cœur sincère, cherche la vie, la Vie qui vient de Dieu, ce Dieu-amour qui répond toujours à ceux qui le cherchent.

L'auteur

Voici la note que j'ai trouvée, écrite de la main de mon fils aîné, à l'endos de la page couverture du Nouveau-Testament, alors qu'il faisait ce que moi, j'appelais sa folle jeunesse... et qu'il m'arrivait à moi de le juger : « *Ce Livre remplit mon cœur de joie, de courage et d'amour. Que le Seigneur Dieu soit béni !* »

Ce que je viens d'écrire est de l'authentique, du vécu. C'est donc mon enfant qui m'a fait découvrir cette vision toute nouvelle d'un Dieu tout-puissant qui se veut d'abord et avant tout l'Ami intime avec lequel on doit tout partager.

Plus tard, l'auteur du présent ouvrage publiait son premier livre : « *Prends le temps d'aimer* » : une suite de dialogues amicaux entre le Seigneur-Dieu et ses fils de la terre. Comme des milliers de personnes, je n'ai pas lu ce livre... je l'ai dévoré ! ...et je continue de m'y référer chaque jour, avec la même espérance d'y puiser, encore et encore, une foi toujours plus grande, qui me mènera à m'abandonner totalement à la sainte volonté du Seigneur.

En signant la préface de ce livre que vous tenez en main, je sens monter en moi une joie profonde. Ce geste me donne l'opportunité d'exprimer, de crier ma foi, d'en témoigner au milieu de mes semblables. Il me donne le privilège d'essayer de vous communiquer l'envie irrésistible de faire enfin connaissance avec Dieu.

Voici donc un deuxième ouvrage qui nous appelle à dialoguer avec le Père tout-puissant. Pourtant, entre Jean-Bernard Doyon, l'homme-auteur, vous et moi, il n'existe aucun déphasage : nous somme tous, que nous en ayons plus ou moins conscience, les enfants de Dieu.

S'il nous arrive d'oublier que la vie nous vient de Lui, nous ne pouvons toutefois nous empêcher de frémir à la seule idée qu'Il pourrait la reprendre... aujourd'hui, ce soir, demain peut-être. Donc, qui que nous soyons, nous possédons la foi en un Etre suprême, mais avons-nous pris le temps de faire connaissance avec Lui? Savons-nous l'aimer? En avons-nous vraiment pris le temps?

Dialoguer avec le Christ, comme l'auteur nous l'enseigne, est une merveilleuse façon de témoigner de sa foi. Une foi qui fait dire « merci à Dieu » en toutes choses ; une foi qui libère la puissance divine et qui permettra, il n'en fait aucun doute à tous les hommes de la terre, de mieux communiquer avec l'invisible mais Tout-puissant Maître de l'univers, en s'adressant à Lui comme à un père, comme à un ami.

Cette foi, l'auteur nous la communique avec des mots de tous les jours. Elle ne peut que nous rendre plus forts et nous permettre de pénétrer dans un monde nouveau. Un monde fait d'amour, où il n'y a place que pour la paix, la bonté, la douceur et la joie.

Que l'Esprit-Saint habite tous ceux qui liront ce livre avec le goût de mieux connaître le Christ. Ainsi, le Seigneur pourra demeurer en eux et les guider à travers les eaux troubles et les vicissitudes d'une vie devenue difficile à vivre, en les couvrant, dans son infinie Bonté, des dons de Sa patience et de Sa bénignité.

Thérèse Gagnon

SAIS-TU AIMER?

Bonjour, toi,

Sais-tu aimer?
Sais-tu te donner?
Sais-tu te laisser prendre?

Viens m'écouter,
Viens me regarder
Viens, je t'apprendrai.

Je suis la voie qui mène au Père.
Je suis le chemin de l'amour;
Je suis l'amour, l'amour du Père.

8

Je me suis fait *homme* comme toi...
Pour que tu deviennes
Dieu comme moi ! ! !

Voilà ce que c'est que d'aimer !

Fais-toi tout petit
Et tu deviendras
Ce que je suis :
L'Enfant du Père,
« En qui il met ses complaisances ».

J'ai saisi complètement la Vierge
A son oui total et généreux :
Elle est devenue
La Mère du Bel Amour !

Viens nous voir,
Nous t'apprendrons à aimer.

Ton Seigneur

9

PRENDS-TU LE TEMPS D'AIMER?

Bonjour, toi,

Prends-tu le temps d'aimer?...

Le prends-tu, le temps de vivre?
Le prends-tu, le temps de m'aimer?

La rencontre, le dialogue, les fréquentations
Sont nécessaires à l'amour...

Prends-tu le temps de me fréquenter...
De venir causer, de venir perdre du temps avec moi?...

Tu as beaucoup de temps pour tout et tous...
Mais pour moi...

Tu t'es créé des obligations de toutes sortes,
Des obligations soi-disant pour moi...
Et finalement tu ne viens plus me voir.

Et si je veux te parler, tu ne m'écoutes pas;
Je suis comme celui qui dérange...
Qui est de trop...
Même si tu ne veux pas toujours l'avouer
Prends-tu le temps d'aimer?...

Tu cours après quoi finalement?
Une petite prière par-ci, par-là...

La messe... ou une messe par obligation...
Par habitude aussi trop souvent...

Une communion distraite...
Sans y mettre ton cœur et ta foi.

Et tu t'en vas courir après le vent...
Tu t'en vas travailler, dis-tu, pour tes frères...
Tu t'en vas chercher ma gloire...
Tu sais pourtant que c'est moi qui vivifie tout.

Où et quand passe vraiment la sève
La sève qui vient de moi...
Et qui fera porter du fruit à ton travail ?

«Lorsque l'Esprit de vérité viendra
Il vous enseignera toutes choses...»

Prends-tu le temps de le rencontrer... de l'écouter...
De réaliser tout ce qu'il veut faire en toi ?

Je t'ai appelé à partager ma vie...
Je t'appelle à participer à mon travail de rédemption...
J'ai besoin de toi — parce que je t'aime...
J'ai besoin de toi pour me faire aimer des autres.

T'es-tu arrêté à réfléchir sur cette vocation ?

Marie y a collaboré pleinement
Demande-lui l'espérance et la joie.

Salut,
Ton Seigneur qui attend beaucoup de toi

UNE NOUVELLE TECHNIQUE

Que font-ils? Que fait-il?

Drôle de question...

Comme la plupart des gens, il fait son possible;
Et comme son possible est très limité...
Il a recours aux nouvelles techniques,
Il se fait charismatique...

« L'Esprit souffle où il veut, mais tu n'entends pas sa voix,
Et pourtant, elle crie dans le désert:
Que celui qui a soif vienne à moi...
Elles couleront à flots les eaux vives... »

Mais si tu ne renais, tu ne peux comprendre, ... docteur
    en Israël.
Il te faut accepter de renaître, de redevenir enfant...
Accepter de te faire aider par un Autre...

Par un autre qui priera sur toi...
Invoquera pour toi le Paraclet ·
Qui lui, t'enseignera toutes choses...

Tant que tu n'accepteras pas cet acte d'humilité,
Tu demeureras stérile, le désert se fera autour de toi
Et toi-même t'exposeras à te dessécher.

Le même Esprit qui souffle toujours la même vie,
Le même Esprit t'indique comment, aujourd'hui,
Tu dois à nouveau te laisser revitaliser, laisser passer la
    vie.

N'accepteras-tu pas qu'il te dise le comment?
Ou si c'est toi qui dois lui dire où et comment agir?

Peux-tu lui dire : toi, l'Eternel, tu changes de méthode?

L'Esprit souffle... écoute sa voix...
Ne te rebelle pas comme au désert...
Tu ne comprends pas ses chemins...

Pourquoi bouder ses dons, ses charismes?
Ils te dérangent?... Tu as mieux?

Ce n'est pas un mirage. Regarde et vois... Ils se
    rassemblent
Ils viennent de loin, ils viennent de partout...
Emportant l'or et l'argent et chantant la gloire du
    Seigneur.

Couvriras-tu encore longtemps ta face?
Où chercheras-tu vraiment mon visage?

Mes œuvres me rendent témoignage...
Portent-elles ombrage aux tiennes?

J'envoie mon Esprit : il renouvelle la face de la terre...
Les boiteux marchent, les sourds entendent, les aveugles
    voient...

Que fait-il? Il scrute les *Ecritures* sous la mouvance de
    L'Esprit

Attendant la venue de Celui qui vient
Et qui rétablira toute chose pour la gloire de Dieu
Et le bonheur de ceux qu'il a choisis et le cherchent.

Amen, Alléluia !

TON AMOUR, C'EST QUOI?

Bonjour, Seigneur,

Pour dire vrai, Seigneur,
Ne te choque pas, si je dis ce que je pense.
Pour dire vrai... ton amour... Seigneur,
Je ne l'ai pas encore compris...
Non je ne mens pas.
Et depuis longtemps, je me demande
Ce que ça peut être, cet amour de Dieu.
Je n'y comprends absolument rien.
Peut-être parce que je regarde mal...
Que je ne regarde pas assez...
Ou bien que je me fais des imaginations...

Ton amour pour moi, ton amour pour les hommes
Qu'est-ce que c'est?

Moi, je n'aime pas ou pas beaucoup les autres...
Aussi je vois mal comment on peut aimer,
Aimer vraiment, totalement, comme tu dis le faire.
Encore une fois, je te juge, je t'imagine
Comme moi... à ma grandeur,
C'est-à-dire, à ma petitesse...
Et pourtant...

Je ne me suis pas assez arrêté à réfléchir,
A regarder ce que tu pouvais être vraiment.
Je n'ai pas pensé que tu étais tout autre que moi.

J'ai pensé aussi que l'amour
Etait quelque chose de sensible,
Ressenti dans un cœur de chair...

En parlant avec toi, comme ça,
Ça me fait réfléchir, ça me fait voir
Que l'amour est autre chose.

Tu me diras, Seigneur, si j'ai vu juste :
Aimer, c'est vouloir le bonheur d'un autre,
C'est m'oublier ; ça veut dire : arrêter de penser
A moi seulement ; réaliser que d'autres sont là
Qu'ils ont des désirs eux aussi...

Les aimer, c'est vouloir pour eux la réalisation
        de leurs désirs,
C'est vouloir pour eux le bonheur.
Et Toi, Seigneur, c'est ce que tu fais.

Tu m'as donné Marie...
Que son cœur de Mère
Réchauffe mon cœur à ton amour,
A son amour.

Adieu...

Ton fils

VIENS QUE JE TE DISE

Cher enfant,

Si tu veux savoir ce qu'est l'amour,
Si tu veux apprendre à aimer,
Il faut que tu rencontres l'*Amour*,
Il faut que tu me visites et que tu parles avec celui
Qui est l'amour,
Avec celui qui crée l'amour dans les cœurs...

Et l'Amour, ce grand professeur de l'amour,
Où le trouveras-tu ?
Il est tout près de toi...
Il vit au milieu de vous tous...

Malheureusement, vous ne le connaissez pas.
« Il est venu parmi *les siens*,
Et les siens ne l'ont pas reconnu... »

Il est venu, il est encore parmi vous...
Les siens : c'est vous, tous les humains ;
Lui : c'est le Dieu de l'univers, le Seigneur,
OUI, le Seigneur, mais il ne vient pas en Juge,
Il vient parmi *les siens*...

Il s'est fait ton égal,
Il s'est fait semblable à toi...
Et il habite dans ton village ;
Il habite avec toi...
Tu en as entendu parler
Mais tu ne t'es pas arrêté
Pour réfléchir, pour penser, pour réaliser
La vérité de sa parole :

« C'est moi, n'ayez pas peur. »
Oui, hélas ! l'Eucharistie,
C'est trop souvent un « Accraire ».
Tu y crois plus ou moins...
Tu la respectes, mais pas plus...
Ou tu la respectes assez que tu t'en tiens loin...
Tu y crois si peu que ça ne te dérange pas...
Mais pas du tout.. et là c'est grave...
Tu t'en fous au fin fond...
Que veux-tu que ça me fasse ?
Et pourtant, là et là seulement est ton salut...
Ton salut, ton bonheur et celui de tes frères...

Demande à Marie de te conduire à moi...
Viens me voir, ça presse !

Ton Seigneur

VIENS ME VOIR... ÇA PRESSE

Bonjour, Seigneur,

« Viens me voir, ça presse. »

Qu'est-ce que tu veux dire, Seigneur, par
« Viens me voir, ça presse » ?

Viens me voir dans l'Eucharistie,
Viens me recevoir, me parler, me rencontrer...

As-tu jamais pensé que je suis là
Depuis deux mille ans et que je t'attends ?...
Depuis deux mille ans dans cette armoire...
Où on m'a relégué, où on me cache...
Est-ce que je suis venu sur terre pour me cacher ?
Est-ce que je me suis fait disponible pour être rejeté ?

Deux mille ans dans une boîte, une armoire, une prison
Afin de pouvoir être avec toi...
Oui, toi qui m'écoutes...

J'en ai passé des jours, des mois, des années à attendre
J'en ai reçu des insultes, des refus, des sacrilèges...
J'ai tout accepté afin de pouvoir un jour te rencontrer...

Feras-tu comme tant d'autres...

Ou viendras-tu???

Viendras-tu me dire que tu crois en moi;
Me dire que tu me veux, que tu me désires;
Que tu comptes sur moi?
Me dire que tu sais que *ta* vie c'est moi,
Que tu réalises un peu — oui, un peu, bien peu
Tout ce que cela comporte d'amour
Que d'être là ainsi pour toi, depuis si longtemps...

Le crois-tu réellement, vraiment
Que c'est moi — que ce n'est pas un « semblant ».?...
Que je suis le Créateur du ciel et de la terre?...
Que je suis celui qui t'a fait, qui t'a donné la vie?...
Que je suis celui qui te demandera un jour:

« Qu'as-tu fait de ta vie? »

Je suis invisible, oui, mais je suis là,
Bien moi, bien vivant, bien puissant,
Tout à fait miséricordieux, plein d'amour.

Et oui, — mais, je ne suis pas bonasse...
Viens me reconnaître, me rencontrer
Pendant qu'il en est encore temps, ça presse.

Marie te conduira, t'aidera
Si tu prends la peine de le lui demander.

O.K? Salut,

Ton Seigneur

JE T'ATTENDS

Bonjour, toi,

Oui, ça presse !

Je ne rigole pas lorsque je dis cela.
Tous les jours ou presque — tu remets à plus tard
Cette rencontre, cette visite, cette communion.

Tu remettras ainsi encore combien de temps ?
Tu vas trouver encore quelles sortes d'excuses
Pour ne pas venir à la messe, pour ne pas communier ?

Tu ne t'es pas aperçu qu'avec tout cela
Au fin fond, tu te moques de moi.
Je suis là ; tu le sais ;
Tu peux venir, tu le sais ;
Je t'attends ; tu le sais
... et pourtant ... et pourtant...
Tu ne viens pas...

Ça fait combien d'années que tu agis ainsi ?
Tu viens une ou deux fois par année,
Tu viens faire tes Pâques ! ! !

Est-ce moi que tu viens voir...
Ou si tu t'arranges pour ne pas être puni?
Tu agis comme un esclave
Qui a peur du fouet
Et tu te vantes d'être libre,
De ne pas te laisser conduire par les personnes
        ou les choses.

Et moi, dans tout cela?...
Moi qui attends un cœur aimant, reconnaissant,
Moi qui attends un cœur d'enfant
Qui vient rencontrer son père, son grand frère;
J'attends quelqu'un de la famille,
Non pas un étranger, un esclave,
Non pas quelqu'un qui vient de force,
Quelqu'un qui n'a pas de façon
Et qui vient le moins souvent possible...

Dis-moi — tu es capable d'être franc...
Nos relations, notre amitié
Sont-elles sincères, vraies, réelles?
Est-ce qu'on est quelqu'un l'un pour l'autre?
Ou si ce sont simplement des formalités, des coutumes?
...et pourtant ...et pourtant...
Que pourras-tu me dire un jour
Lorsqu'il sera trop tard?

Marie peut encore t'obtenir la grâce
De comprendre et de venir.

                    Salut,
                        Ton Seigneur

LE CARÊME

Bonjour toi,

Le carême avance ; il s'en va rapidement,
C'est un temps spécial que je t'ai donné
Afin que tu laisses un peu ton habitude
De me mettre de côté, de ne penser qu'à toi,
A tes affaires, à ton travail, à tes plaisirs…

Profites-tu de ces grâces, de ces appels
Qui passent et ne reviendront pas ?

Tu te dis trop souvent : « Je suis correct,
Je suis O.K., j'en ai fait assez.

Je ne suis pas pour penser
Seulement qu'au bon Dieu ;
Je n'ai pas tué, je n'ai pas volé…
Je suis un bon chrétien ! ! !
Evidemment, je ne suis pas parfait
Mais presque… je ne fais pas de mal… alors ?
Qu'est-ce qu'il me veut de plus le Seigneur ?
Et les autres qu'est-ce qu'ils ont à dire de moi ?
Je suis correct pour ne pas aller en enfer »…

Tu ne t'aperçois pas, mon enfant,
Que plus ça va, moins tu en fais ;
Que plus ça va, plus tu me fuis ;
Que plus ça va, plus je te fatigue.

Bientôt tu ne voudras plus entendre
Parler de moi : tu me repousseras complètement.

Es-tu plus heureux ? Seras-tu plus heureux ?

Le carême ? Tu l'as rejeté
A peu près complètement : « C'est démodé. »

La communion ? Tu ne t'en occupes plus :
« C'est pour les prêtres et les religieuses. »

La messe ? Que d'excuses, de prétextes :
« Il faut faire comme les autres. »

La prière ? bah !
« Comme si le Seigneur s'occupait de cela. »

Le moins possible pour moi
Et toujours plus pour toi, tes aises, ton plaisir.

Tu dis que tu ne fais rien pour aller en enfer...
Tu ne fais rien, je dirais, pour aller au ciel...
Tout ceci au fin fond est mépris, refus, insulte...
Je suis traité comme non important,
Comme achalant même...
Et je ne dirais rien, je te laisserais
Te moquer de moi — sans jamais rien faire ?
Assez de mépris, mon enfant, assez de lâcheté.

Réveille-toi pendant qu'il en est encore temps.
Demande à la Vierge de te secouer un peu.

Ton Seigneur

LE CRI DE LA VENGEANCE

Cher enfant,

« Si tu savais, en ces jours qui sont les tiens,
Si tu savais ce qui peut t'apporter la paix...
Mais tout ceci est caché à tes yeux. »
Pourtant viendront des jours difficiles
Et ils sont à la porte.

Des jours où tu voudras avoir prié,
Des jours où tu voudras avoir servi ton Seigneur,
Où tu voudras avoir pardonné à ton prochain,
Avoir pratiqué la justice, l'honnêteté, le partage.

Je t'appelle depuis longtemps à cette réconciliation
Avec toi-même, avec ton prochain, avec ton Dieu.

Je renouvelle de plus en plus instamment
Mes appels, mes avertissements...
Mais, hélas ! Vous me fuyez de plus en plus.
Vous abandonnez les églises que vous avez construites...
Vous vous moquez de mes sacrements :
Vous vous faites des commandements à votre goût,
Laissant de côté les miens.

Vous séparez ce que j'ai uni...
Vous attentez à la vie de vos frères, de vos enfants...
Vous répandez le sang innocent...

Jouir, vous amuser, avoir du bon temps,
Etre libre, en profiter...
« Nous n'avons qu'une vie et elle est courte »

Ce sang versé crie vengeance contre vous ;
Vos injustices s'accumulent sur vos têtes ;
Ces commandements méprisés vous accuseront ;
Ces moqueries de mes sacrements parleront contre vous ;
Ces richesses que vous accumulez vous détruiront ;
Ces manques de pardon vous condamneront ;
Ces abandons de moi, de moi vous chasseront.

Ô mon peuple, ô mon enfant que j'aime,
M'obligeras-tu à te châtier ?
Ou sauras-tu, pendant qu'il est encore temps,
Sauras-tu venir chercher en moi, chez moi
La vie, la paix, la liberté, la libération ?

Je suis là, je t'attends toujours...
Avec Marie, ta Mère,

Viendras-tu avant qu'il ne soit trop tard ?

O.K. ? Salut.

Ton Seigneur

25

SEIGNEUR, J'AI PEUR

Bonjour, Seigneur,

Oui, Seigneur, j'ai peur !

Je n'avouerai pas publiquement que j'ai peur de toi,
Mais, au fin fond, j'ai peur... j'ai peur de toi...

Je te connais si peu... Je sais ta grande puissance,
Je connais ta sainteté...

Et je sais que tu me demandes d'être parfait
Comme toi-même es parfait...

Alors j'ai peur, je ne me sens pas le courage
De faire tout ce que tu peux me demander ;
J'ai peur d'abandonner ma petite vie tranquille,
J'ai peur d'être dérangé...

Inconséquent avec moi-même, je pense pouvoir
Me faire une petite vie tranquille, facile...

D'un côté, je désire un bonheur infini...
D'un autre, je me contente de médiocrité...
Alors je suis tiraillé, je suis divisé...
Et je ne suis pas heureux.

Et pourtant, je suis de ceux que tu as choisis,
Que tu as appelés d'une façon spéciale.

Tu m'a donné ta vie au baptême...
Et combien de millions n'ont pas eu cette grâce?...
Tu me fais participer à tes nombreux sacrements
Qui sont source de ta vie en moi.

Je me suis engagé envers toi...
Je t'ai déjà tout donné...
Du moins, c'est ce que je pensais... et pourtant...
Je vois bien... tu me le fais voir
Que j'ai repris peu à peu ce que je t'avais donné :

Je ne vis pas pour toi, comme je l'ai promis un jour ;
Mais pour moi, t'oubliant souvent et aussi les autres.
Ou je me dis que j'en ai assez donné
Me réservant bien des choses que tu me demandes.

Je n'ai pas compris, Seigneur, ton amour.
J'ai peur d'être aimé, j'ai peur de devenir toi
J'ai peur de me perdre
Et pourtant, me perdre en toi, c'est la vie.

J'ai peur de mourir à moi-même en toi
Pour ressusciter en toi et avec toi.
C'est pourtant ce que tu as fait pour moi
Et ce à quoi tu m'appelles.

Que Marie qui n'a pas eu peur
De faire ce saut dans l'amour
Me donne de me donner à ton Amour
Amen ! Salut, Seigneur.

                                   Ton enfant.

FAIRE SES PÂQUES

Bonjour, toi,

Tu es venu faire tes pâques...

Les as-tu vraiment faites?
Ou si tu as simplement rempli une obligation
Afin de ne pas être condamné?...

Es-tu venu parce que c'est la coutume?

Tu as sans doute pensé, réfléchi avant de les faire...
Tu es venu faire estampiller ton billet pour l'autre côté...
Ou si tu es venu me dire que tu croyais en moi,
Me dire que tu ne voulais pas être de ceux-là:

De ceux-là qui m'ont rejeté:
De ceux-là qui ont crié: «Crucifiez-Le!»
De ceux-là qui crient encore: «Enlevez-Le!»
De ceux-là qui ne veulent plus entendre parler de moi;
De ceux-là qui n'ont pas le temps
De ceux-là qui n'y croient pas du tout,
De ceux-là qui s'en foutent comme de l'an quarante!

Non, tu crois... au moins assez pour venir...

Mais, crois-tu avec ton cœur?
Avec ton cœur à toi et non avec le cœur des autres

Et en as-tu assez pour revenir,
Pour revenir plus souvent qu'une fois par année?

Tu ne t'ennuies pas parfois?

Tu ne trouves pas la vie vide souvent?

Tu ne te demandes pas aussi
Qu'est-ce que tu fais sur la terre?

Sais-tu que la réponse à toutes ces questions
Non seulement, je peux te la donner...
Mais, — comprends, écoute, — *je suis la réponse*
A toutes ces questions...

J'ai été rejeté — je le suis encore...

Mais je demeure et je serai toujours
La pierre de base, la fondation
De toute réalisation, de toute vie,
De toute vie, pleine, vraie.

Ressuscité d'entre les morts, je suis toujours vivant...
Ressuscité d'entre les morts, je suis toujours avec toi...
Si tu veux de moi.

Plus fort que la mort...
Tu peux imaginer ma puissance...
Tu peux imaginer la vie, la vie qui rayonne de moi.

La Vierge Marie n'a jamais regretté son oui à ma
présence.

— Et toi qu'attends-tu pour le dire
Ce oui — ce oui vrai — total.

J'attends...

Ton Seigneur ressuscité

JE SUIS RESSUSCITE

Bonjour, cher enfant,

Je suis ressuscité, alléluia !

Réalises-tu ce que cela veut dire
Et pour moi et pour toi aussi ?
Je suis le « premier ressuscité d'entre les morts ».
J'étais mort, je suis revenu à la vie.
Je n'aurai plus peur de mourir, c'est fini, fini, fini.

Y penses-tu un peu ?...

J'ai dû passer évidemment par bien des souffrances ;
Mais si tu savais à quel point maintenant
Je suis content d'avoir accepté la volonté du Père.
Je suis heureux d'être passé par là
Pour avoir tout ce que ça me donne maintenant.

Sois content, toi aussi, mon enfant
Sois content et pour toi et pour moi.

Si tu m'aimes un peu, tu seras heureux de mon bonheur,
Si tu crois un peu en moi, tu me feras confiance
Et toi aussi, tu accepteras cette volonté de Dieu sur toi.

Volonté de Dieu, ton Père,

Exprimée maintenant dans les commandements,
Et cela en incluant la mort...
Fais-moi confiance — tu verras plus tard,
Tu chanteras toi aussi avec moi et des milliers d'autres.

Alléluia ! Alléluia ! Alléluia ! Merci Seigneur ! ! !

Mon père et moi, nous ne te voulons que du bonheur,
Et du bonheur, si tu savais dans quelle quantité...

Je suis « le premier ressuscité d'entre les morts ».
Le premier : ça veut dire qu'il y en a d'autres.
Et toi aussi, tu ressusciteras pour la vie...
Tu ressusciteras pour toujours
Si vraiment tu le veux,
Si tu choisis cette résurrection
Plutôt que ces plaisirs de la terre
Plaisirs qui, ici, finiront...

Remercie-moi d'avoir ouvert le chemin.
Félicite-toi d'être appelé toi aussi à venir avec moi
Vivre sans fin, alléluia !
Auprès du Père, alléluia !

Avec tous ceux que tu aimes
Et qui tous t'aimeront...

Que ton cœur frémisse à cette pensée
Et que Marie partage elle aussi sa joie avec toi.

Joyeuses Pâques !

Ton Seigneur

L'ASCENSION

Bonjour, toi,

« Pourquoi regardes-tu vers le ciel ? »

Où le Christ ton frère est-il remonté
Après être venu *te faire connaître l'amour du Père* ?

Ce Jésus, ton frère, que tu as vu remonter à l'Ascension
Ce Jésus, ton frère, « reviendra de la même manière »...

Et vois-tu ça ? Le Christ qui revient sur cette terre ?...
Réaliser tes désirs de le voir avec tes yeux...
Y crois-tu à son retour, un vrai retour
Dans toute sa gloire, dans toute sa puissance ?

Et il te dit de ne pas avoir peur :

« Réjouissez-vous alors, car votre délivrance est proche. »
Ce Christ, ce Jésus, ce Seigneur,
« Qui a passé en ne faisant que du bien »,
Comment ne pas te réjouir de sa venue, de son retour ?
Comment, par ailleurs, ne reviendrait-il pas ?

Il est parti, oui, mais il a laissé ici, sur cette terre,
Une partie de lui-même...
Et une partie plus grande que tu ne le croies.
Et cette partie de lui-même... C'est toi, ce sont tes frères.
Eh bien, crois-le ou non, ce sont eux, c'est toi...
C'est toi puisque tu es greffé sur lui.

En tant que Seigneur-Rédempteur,
Il s'est acquis un peuple, une multitude
Qui par son amour, par son pouvoir, par sa grâce
Participe à sa divinité,
Participe à sa vie... à sa vie que lui-même
Partage avec le Père... Tu vois ça d'ici?...
C'est une immense assemblée, corps mystérieux, mystique
Dont tu es une partie, un membre...

C'est pourquoi tu peux être joyeux lorsqu'il est joyeux.

Tu seras glorifié avec lui, toi aussi
Lorsqu'il le sera totalement...

Et tu participes dès maintenant à sa puissance...
Pour faire comme il a fait : rassembler d'autres frères...

Demande à la Vierge, sa Mère, ta Mère,

«Qu'elle ouvre ton cœur à sa lumière
Pour te faire comprendre l'espérance
Que te donne son appel...
Pour te faire comprendre la gloire sans prix
Que tu partageras avec lui, si tu crois.»

Crois-moi, je suis son ange,
Témoin de sa Résurrection et de son Ascension.

Salut

L'ESPRIT-SAINT

Bonjour, Seigneur,

« Je vous enverrai le Consolateur
Il vous enseignera toutes choses. »

C'est qui ça, Seigneur, ce Paraclet ?
C'est qui ça, « l'Esprit-Saint », le Consolateur ?
Je n'en ai pas entendu parler très souvent.

Je sais qu'il est là, quelque part, c'est à peu près tout.
Que fait-il dans ma vie ? dans ta vie ?

Le Père, le Fils et l'Esprit-Saint :
Vous êtes Trois, mais vous êtes Un.

Oui, Seigneur, je veux bien accepter... sans comprendre.
Le Père, qui est Dieu, m'a créé et a fait toutes choses :
Le Fils, qui est Dieu, est venu me remettre sur le chemin,
Sur le chemin qui mène à toi — à la Vie.
Il est venu me réconcilier avec toi.
Il est venu me permettre d'espérer encore,
D'aimer à nouveau — Je t'avais dit non.

L'Esprit, qui est Dieu, est cet amour
Que tu donnes au Fils, que le Fils te donne ;
Cet amour que tu nous donnes
Et que tu veux déposer dans nos cœurs.
Nous ne savons pas aimer — nous sommes égoïstes.

Ton Esprit, l'Esprit de Jésus, l'Esprit-Saint,
Lui qui est Amour, peut non seulement nous apprendre,
Nous apprendre à aimer et les autres et Toi qui te caches,
Mais il peut et veut — quel amour! — quelle bonté!
Nous transformer nous aussi en amour.
Il veut que nous devenions nous aussi
Simplement et totalement amour,
Que nous devenions ainsi une partie de toi-même,
Que nous devenions «un» entre nous les humains
Et que nous devenions «un» avec toi, le Seigneur.

«Que tous soient «un» comme toi et moi, Père, sommes
    «un».
C'est la prière que tu as faite pour nous.

Seigneur, je dis oui à ce désir de ton cœur.
Que ton Esprit — qui est Esprit d'Amour
Vienne en moi, enlève tout ce qui me rend égoïste
Et me donne de savoir aimer les autres.

Marie a dit oui à la venue de ton Esprit en elle.
Elle a engendré alors le Rédempteur, le Pasteur
Qui nous rassemble dans ton amour.

Marie, en disant oui à la venue de l'Esprit,
A aimé tous les humains.
Et c'est ainsi qu'elle est aimée de tous ceux qui la
    connaissent.
Ecoute sa prière, Seigneur, sa prière pour moi:
Viens en moi et tous les miens.

                                        Ton enfant

LE CADEAU QUE JE T'OFFRE

Bonjour, toi,

Je suis venu pour que tu aies la vie
Et que tu l'aies en abondance...

Ta première vie t'a été donnée
Sans que tu puisses dire quoi que ce soit.

Ce fut ton premier cadeau :

Devenir, être, exister...

Pouvoir vivre et réaliser toutes sortes de choses.

Je t'offre encore plus et beaucoup plus...
Mais cette fois, tu as ton mot à dire,
Tu peux dire oui ou non au cadeau offert :

Je t'offre de partager ma vie avec moi...
D'une façon intense, et de devenir un autre Moi
Tout en demeurant toi-même :

Je t'en ai déjà parlé...

« Voici que je frappe à la porte ;
Si quelqu'un entend ma voix,
J'entrerai, je souperai avec lui...
Et je ferai chez lui ma demeure... »

36

Tu as entendu maintes fois ma voix...
Me laisseras-tu entrer?
Ou bien as-tu toujours aussi peur de moi?
Ou crains-tu que je ne prenne trop de place?
Que je déplace tes choses...
Que je dérange tes plans, tes habitudes?

Ne crois-tu pas que la présence, la compagnie
De l'Auteur de tous biens, du Dieu Créateur,
Ne crois-tu pas que l'onction de Son amour
Ne te donne pas plus, en fin de compte,
Que ce que tu peux faire toi-même, seul?

Tu ne crois pas à mon amour?
Tu ne crois pas que je t'aime sincèrement,
Que mon amour est vrai, puissant, total?
Tu crois que tu seras plus heureux,
Que tu jouiras plus de la vie
En t'accrochant aux petits bonheurs actuels?

Tu as peur... avoue-le... tu manques de foi...
Tu m'imagines à ton image...
Tu penses — sans trop réfléchir — que tu pourras
Te faire une vie heureuse, pas trop difficile...

...Ecoute, enfant, je t'appelle à me dire un oui,
Un oui total, confiant, comme celui de Marie, ta Mère.

Viens en moi, Seigneur, comme tu l'entends...
Viens totalement.
Prends toute la place...

Et que je devienne toi...

                                        Ton fils

PERE, FILS ET ESPRIT

Eh bonjour, mon enfant,

« Seigneur, montre-nous le Père ».

« Philippe, qui m'a vu a vu le Père.
Depuis le temps que je suis avec vous,
Comment peux-tu dire : Montre-nous le Père. »

Le Père, c'est celui qui crée, qui donne l'existence, la vie.
Le Père, c'est celui qui t'a fait, qui t'a donné d'être,
Qui t'a donné d'être ce que tu es
Qui t'a donné d'avoir ce que tu as.

Peux-tu de toi-même te donner quelque chose ?

Le Père est celui qui est toujours... de toujours...
Il ne reçoit de personne, il n'est fait par aucun autre...
Il est toujours... c'est ça être Dieu...
Il est donc tout, il fait tout et donne tout :
Il ne peut faire que cela : donner, aimer, créer...

Pourquoi en aurais-tu peur ?

— Moi, le Fils, je suis un autre lui-même :
Je suis lui-même comme il se voit...
Et comme il se voit parfaitement, je suis parfait moi aussi.
Je suis alors comme lui : bonté, puissance, création, vie...

Le Père et moi, nous sommes un.

Je suis venu faire connaître le Père,
Je suis venu dire son amour, son amour pour les
    hommes...
Amour que les hommes n'avaient pas compris.

Je suis venu apporter le feu sur la terre : son amour.
Et pour que cet amour soit dans les hommes,
Je me suis fait homme comme toi...

Pour que vous participiez à notre vie, à notre bonheur,
Pour que vous deveniez nous-mêmes.
Je vous ai envoyé, comme promis, le Paraclet, le
    Défenseur ;
Je vous ai envoyé cet Amour que le Père et moi,
Nous nous portons : je vous ai envoyé l'Esprit du Père,
Mon Esprit, l'Esprit de Dieu : l'Esprit-Saint.

L'Esprit-Saint, il est cet amour que le Père me donne,
Il est cet amour que je donne au Père.
Il est en moi et dans le Père.
Comme le Père et moi sommes en lui. Il est un avec nous.

Tu connais maintenant toute la famille :
Tu connais maintenant ton unique Seigneur :
Père, Fils et Esprit
Qui ne peut te vouloir que de bonnes et belles choses...

Que Marie te conduise vers nous.

Salut,

Ton Seigneur

LE SACRE-COEUR

Bonjour, mon bonhomme,

Sais-tu que le Sacré-Cœur,
Le Sacré-Cœur et l'Eucharistie, c'est tout un ?

Je suis venu te faire connaître l'amour du Père,
Je suis venu t'apporter l'amour du Créateur,
Je suis venu te faire partager, te donner la vie de Dieu :
De ce Dieu que tu veux, trop souvent, tenir loin de toi...

Tu penses te suffire à toi-même, homme orgueilleux !
Malgré ton bonheur restreint, limité, brimé,
Tu veux te dire heureux, suffisant, indépendant.

Tu refuses la main qui t'est tendue,
Tu renonces à une vie plus captivante, épanouissante,
Tu rejettes un amour tonifiant, créateur,
Tu méprises une présence aimante et efficace...

Orgueil d'homme, mis en toi par Satan...
Orgueil intellectuel, orgueil spirituel...

Tu ne veux pas changer, t'améliorer, t'adapter ;
Tu veux rester stagnant, inerte, sans vie finalement,
Puisque tu te fermes à la source, à toute la vie.
Pourtant mon cœur parle à ton cœur...
Mon Esprit te fait signe,
Mon Eucharistie t'invite.

Ma présence corporelle et spirituelle veut te soutenir,
Veut te vivifier, te nourrir pendant ta marche :
Car *Vivre*, c'est marcher vers un quelque-part...

C'est aller vers un Quelqu'un...
Et ce Quelqu'un ne peut être que moi,
Moi qui crée tout ce qui existe, y compris toi-même...

Moi qui suis avec toi sur terre :
Dans ton cœur, dans ton corps, dans ta pensée,
Présent de cette présence réelle de tout mon être,
De tout mon être de Dieu,
De tout mon être... d'homme... comme toi...

Présent simplement, mais totalement, vraiment
Pour être ton soutien,
Pour être ta nourriture de vie divine,
Vie pour laquelle tu es fait,
Et vers laquelle tu *dois* te diriger...

Je t'apporte : l'amour, la vie...
Je t'apporte : mon Esprit, l'Esprit de Dieu...
Je t'apporte : mon cœur... toujours présent...
Pour que tu sois... toi aussi... toujours vivant...
Et pour toujours avec nous... et la Vierge, ta Mère.

Que feras-tu ?

Ton Seigneur. Bonjour !

VIENS A MOI

Bonjour, toi,

As-tu fêté le Sacré-Cœur ?

As-tu fêté celui qui a tant aimé les hommes ?

Celui qui a aimé *tous* les hommes,
Celui qui a aimé jusqu'à la folie !,
Celui qui a aimé pour vrai — qui a donné sa vie !
Celui qui s'est anéanti jusqu'à l'hostie,
Celui qui s'est fait prisonnier du tabernacle,
Celui qui n'a travaillé que pour les autres !
Celui qui, en retour, reçoit
Si peu de réponses à ses appels, à son amour !

Ce Cœur d'homme blessé par une lance,
Blessé par chacun de vos nombreux péchés.
Blessure cuisante, serrement de cœur.

Chaque fois que tu dis : je préfère m'amuser,
Je préfère ne pas être dérangé ;
J'aime mieux un voyage, une excursion, un « party » ;
J'ai plus de plaisir avec mes visiteurs ;
J'aime mieux dormir — penser à moi seulement :

Tu lui dis alors, sans trop t'en apercevoir :
« Qu'est-ce que ça me fait, ton cœur qui saigne ?
Ton cœur qui fait mal, ton cœur qui pleure » ?

Depuis combien de temps, cependant, je t'invite...

Si tu savais maintenant
Ce qui t'attend... ce que je voudrais t'épargner...

Mais tu fermes les yeux, tu te bouches les oreilles ;
Tu t'occupes pour ne pas entendre ma voix...
Tu te dis plus sage que mon Esprit
Qui t'incite, qui manifeste ses prodiges,
Qui t'avertit dans la douceur
Que l'heure est venue de voir avec mes yeux,
De penser avec mon Esprit, d'entendre ma voix.

Bienheureux es-tu alors si tu sais te vider de toi-même,
Te libérer de tes préjugés, de tes habitudes, de tes
        coutumes.

Je te le dis à toi qui te dis bon chrétien ;
Je te le dis à toi que j'ai établi pasteur de mon troupeau
Viens à Moi... Viens à Moi...

Marie connaît le chemin qui mène à moi.
Demande-le-lui.

Viens, tu ne le regretteras pas.

                                        Ton Seigneur

JE SUIS LE SEIGNEUR

Bonjour, toi,

Viens, mon enfant,

Viens apprendre ce que je veux de toi et pour toi.
Viens te faire débarrasser de tes pensées, de ta sagesse à
    toi,
Pensées, sagesse qui sont par trop humaines...
Et qui ne peuvent conduire au Père.

« *Je suis* la Voie, la Vérité et la Vie ».

Je n'ai pas besoin de tes holocaustes...
J'ai besoin de *ton cœur* près de mon cœur,
J'ai besoin de *ton cœur* sur mon cœur.

Qui que tu sois, laïc, religieux, prêtre,
Viens te faire dire ce que je projette pour toi;
Viens partager mon amour humain et divin.
Viens recevoir — tu ne peux le fabriquer —
Viens recevoir cet amour
Qui seul peut te rendre vraiment humain,
Qui seul peut transformer la face de la terre...
Tu es un envoyé... un envoyé de qui et pourquoi?
Un envoyé pour allumer le feu de mon amour...
Cet amour n'est pas dans tes « patentes, » dans ta sagesse,

Il est dans mon cœur.

C'est en mon cœur que tu le trouveras ;
C'est sur mon cœur que tu le goûteras ;
C'est dans mon cœur que tu le puiseras ;
C'est avec mon cœur que tu l'allumeras...

J'ai aimé, j'aime... j'ai dit et je fais...
Je suis le Seigneur des seigneurs.

Ne comprendras-tu pas avant qu'il ne soit trop tard ?
Ne vois-tu pas mon Esprit à l'œuvre ?
Mon Esprit qui enseigne, réchauffe, guérit...

Pourquoi le bouder ?

Quand tu le rejettes, c'est moi et le Père que tu rejettes.
Malheur à vous, sages de ce monde,
Qui rejetez mes enseignements, mes invitations.

Bienheureux, toi qui sauras venir chercher dans mon
        cœur
La flamme qui réchauffera les cœurs.
Devant mon tabernacle, tu résoudras plus de problèmes,
Tu libéreras plus de cœurs qu'avec tes plans humains.

Disponible devant mon tabernacle,
Tu seras l'instrument efficace de mon Amour...

Comme le fut la Vierge...

Ton Seigneur

JE SUIS LA VIE

Bonjour, cher enfant,

C'est l'heure de mon Eucharistie...

Viens avant qu'il ne soit trop tard...

Tu l'as trop mise de côté depuis quelque temps;
Tu t'es fié à tes entreprises, à tes réalisations,
À tes « patentes ».

Tu as été loin de réussir, avoue-le.

Que penses-tu que je sois venu faire dans l'Eucharistie?
Etre une présence silencieuse, inerte, inutile?

Tu m'as réduit à quoi finalement?

A n'être guère plus qu'une « momie ».
Et pourtant je suis toujours vivant...

Je suis toujours *la Vie*.

Toi qui désires, dis-tu, le règne du Christ,
Toi qui travailles pour que tous me connaissent,
Viens-tu chercher auprès de moi
La grâce, l'onction qui peut mouvoir les cœurs?

Es-tu capable de changer un cœur?
Es-tu capable de déposer en lui l'amour divin?
Qui peut le faire, si ce n'est moi? et moi seul?

Je veux que tu sois mon instrument...

Mais je te veux un instrument humain, c'est-à-dire libre :
Un instrument intelligent, plein d'amour ;
Un instrument qui ne veut faire que l'instrument.

Plante, arrose, mais laisse-moi la croissance...
Et pour bien planter, viens chercher la semence
Chez moi et non pas chez toi...

« Tu te fatigues pour beaucoup de choses...
Mais une seule est vraie, nécessaire, utile »...

Je te veux un canal qui laisse passer ma grâce...
Ta première préoccupation c'est d'être uni à moi,
Mais d'une union ferme, solide, vraie,
Union d'un cœur à cœur...

Le reste, je m'en occupe.

Regarde Marie, son action fut très efficace...
Pourtant elle ne fut que prière, désir, présence, adoration.

Je veux t'enseigner toutes choses...

As-tu la force, la lumière, le feu
Qui purifie, meut, transforme,

Viens, me voir afin que je te donne tout cela.
Dans mon Eucharistie tu trouveras réponse à tout.

Salut,

Ton Seigneur

ESPERE EN TON DIEU

Bonjour, mon enfant,

« Que le Dieu de l'espérance habite dans ton cœur. »

Oui, je suis le Dieu de l'espérance parce que je suis tout,
Et que j'ai tous les pouvoirs, toutes les puissances...
Cette espérance je la donne, j'en remplis le cœur des
    miens.

Oui, je sais dans quel monde tu vis...
Dans quelles difficultés, quelles tentations tu te débats.

Justement... je ne t'ai pas fait inerte, amorphe, sans vie,
Je t'ai fait à mon image, capable de distinguer et de
    vouloir.

Et je veux que tu deviennes pleinement
Ce que tu dois être : un être libre, capable d'aimer.

Si je te donne tout, si je te libère de tout effort et de toute
    lutte,
Tu deviens alors inerte, amorphe et sans vie.

J'ai voulu pour toi la lutte, le combat, l'effort, le choix.
Si tu demeures en contact avec moi,
Tu dois savoir que je ne t'abandonnerai pas,
Que je suis toujours là près de toi, en toi.

Je te suis plus présent que tu ne peux l'imaginer...
Pourquoi alors, si tu demeures en contact avec moi,
En un contact réel, vivant, vécu, de toujours,
Pourquoi alors craindre? Pourquoi te décourager?
Pourquoi démissionner, tout abandonner?

Où est ton espérance?
Je n'ai pas manqué mon coup:
« Et Dieu vit que tout cela était bon. »

Espère en ton Dieu qui te sauve, te soutient, te reçoit.

Malgré le sang et les larmes, fruit du combat et de la
        lutte,
Malgré les blessures et la peine: espère.

Demeure dans mon amour, sois ferme dans ton espérance.
Tu peux tout en celui qui te soutient et te fortifie;
Espère contre toute espérance et sois courageux.

J'ai vaincu le monde, j'ai vaincu le péché: espère.
Je suis le grand vainqueur: espère.

« Pas un cheveu ne tombe de ta tête... » Espère.
Dans la noirceur, espère; dans l'abandon, espère.

Marie, ta mère, a espéré malgré ma mort en croix;
Elle a espéré... Je suis ressuscité et je suis toujours
Et avec elle et avec toi.

Alors espère... ta résurrection aussi viendra: Espère

COURAGE

                    Salut,
                            Ton Seigneur

TU ES LE DIEU FIDELE

Bonjour, Seigneur,

Tu me demandes d'espérer,
D'espérer contre toute espérance.

Tu me dis : « Je suis le Dieu fidèle. »

Tu es certes le Dieu fidèle, constant.
Si je m'arrête un peu et regarde...
Depuis deux mille ans que tu te fais « niaiser »,
Que tu te fais mépriser dans l'Eucharistie ;
Depuis deux mille ans que tu attends pour pouvoir me
    rencontrer,
Me rencontrer, moi, en 1978.

Seigneur, il y a des moments où je pense
Que je ne veux pas te voir...

Je ne veux pas voir ta constance, ta fidélité.
Je ne veux pas sentir que tu es « Père », mon Père,
Que ma vie est en toi.

Père, je suis ta brebis, ton agneau malade,
Malade, fatigué de te fuir, épuisé de tristesse ;
A quoi bon la vie ? Qu'est-ce que je fais sur la terre ?

Je me suis bouché les oreilles
Pour ne pas entendre tes appels.
Je me suis caché les yeux pour ne pas te voir.

J'ai refusé de te suivre,
Et tu me poursuis toujours, toujours discrètement,
Toujours sans rancune, malgré mes nombreux refus.
Oui, tu es fidèle.

Tu veux que je sois heureux. Tu m'as fait pour cela...

Et malgré mes ingratitudes, mes refus,
Tu me tends toujours la main.

Au fond de moi, mon cœur te désire,
Mais une autre force m'invite à te fuir,
Quelque chose m'incite à me cacher de toi.

Fais, Seigneur que je voie !
Fais, Seigneur que je veuille !
Fais, Seigneur que je m'abandonne !
Fais, Seigneur qu'enfin je me livre à toi
Pour que tu puisses me libérer
Et me faire partager le bonheur
Que tu goûtes avec le Fils et l'Esprit !

Donne-moi, Seigneur, de me donner
Comme s'est donnée la petite Marie.

Ton enfant languissant

51

C'EST DIFFICILE

Bonjour, Seigneur,

Oui, c'est vrai,
Plus vrai que je ne voudrais l'avouer :

Je te fuis, je me tiens le plus loin possible de toi ;
Juste assez loin pour me dire que je ne t'ai pas dit non.

Je suis allé vers toi aussi — à certains moments — oui,
Mais avec mes conditions, avec mes réserves.

Je consens bien à te donner — jusque-là, — mais pas
    plus...
Je veux bien t'abandonner telle chose, mais pas telle
    autre.

J'accepte que tu me prives de telle chose,
Mais, au moment où je te le dirai...
Et de la façon que je mentionnerai...

Je veux bien aller vers toi, mais en gardant mes habitudes,
Mes façons de penser... de me comporter... d'agir...
Je ne te permets pas non plus de changer tes habitudes...
J'accepte peu ou pas les changements dans ton Eglise...

Je veux rester en contact avec toi — mais à ma façon —
En gardant pour moi l'initiative...

Je veux... Qui suis-je, Seigneur, pour te dire : « Je veux ! »
Et pourtant c'est la façon dont je te parle...
Je veux que tu me laisses me conduire à ma façon...
Comme je l'entends : je veux être le juge, moi la créature...

Et ensuite, je me lamente que tu es dur, lointain...
Je dis que la religion est plate, ne donne rien...

Donne-moi de comprendre qu'être chrétien, qu'être
    catholique
Ce n'est pas cela...
Donne-moi de comprendre que la religion
C'est un abandon de l'un à l'autre...

Abandon sans condition de part et d'autre
Dans la confiance, dans l'amour ;
Que ce n'est pas une suite de demandes, de quémandages
Pour être mieux, pour éviter les troubles, les difficultés
Sans rien donner de *ce que je suis*,
Sans vouloir être dérangé, conduit, aidé, enseveli en toi.

Je me leurre en me disant que je suis un bon chrétien
Parce que je ne suis pas un bandit de grands chemins.
Je veux être honnête et vrai, Seigneur :
Je n'ai pas grand amour...

Seigneur, dis à Marie de m'apprendre l'amour
Afin qu'à toi je me donne
Et que tu te révèles à moi.

       Merci
          Ton fils qui veut te désirer

J'AI PECHE, SEIGNEUR

Bonjour, Seigneur,

J'ai péché, Seigneur,

Et je ne suis pas content...
Non, je ne suis pas content...

Tu me poursuis de ta grâce
Et tu me fais voir que ce n'est pas du regret...

Eh non! Un moment j'ai cru que je regrettais ma faute...
Mais avec ta lumière, ta grâce, je vois que non...
Je ne suis pas content de *moi-même.*

Moi qui me pensais si fin, si juste, si bon chrétien...
Je suis insatisfait de moi-même;
Je me méprise après m'être louangé sans raison.

Ma faute demeure...

Ce n'est pas ma faute que je regrette...
Ce n'est pas d'avoir manqué d'amour qui me peine,
Ce n'est pas d'avoir fait du tort qui m'ennuie...

C'est que je me vois moins beau que je ne me voyais.

Heureuse faute qui me fait comprendre
Que je ne suis pas si juste, si bon que je le pensais!
Qui me fait réaliser que j'ai besoin de toi et des autres!

— Je dois être peiné parce que j'ai été orgueilleux,
Parce que j'ai été égoïste, que j'ai pensé à moi seul,
Que j'ai voulu me justifier devant moi et devant les autres
Sans tenir compte de mon prochain, de mon frère.

Toi seul, Seigneur, peux me donner ce repentir vrai,
Me décentrer de moi pour te regarder toi et les autres.

Toi seul peux me donner cette peine de voir
L'autre blessé par mes paroles, par mes actions.
De voir que c'est toi que j'ai blessé en blessant l'autre.

« Tout ce que vous faites à l'un de ces petits,
C'est à moi que vous le faites... »

Donne-moi de réaliser, de sentir, de voir
La peine, la blessure que je t'ai faite à toi,
De voir ton cœur qui saigne...
Et non seulement la crainte que j'éprouve d'être puni...
Et l'amertume de mon orgueil blessé

— Je sais, Seigneur, que tu m'as déjà pardonné
Puisque tu pardonnes toujours...

Merci, Seigneur, pour ce pardon.
Merci pour cette humiliation que je me suis donnée...

Que la Vierge pleine d'amour
Me donne de ne plus recommencer.

Ton enfant

55

JE NE PEUX PAS PARDONNER

Bonjour, Seigneur,

Que c'est dur, Seigneur, de pardonner.

J'ai péché, j'en ai du regret;
Tu m'as pardonné — sans retour —

Et tu me demandes, Seigneur,
Le même tour de force, à mon tour.
Je m'en sens incapable, Seigneur:

Ce n'est pas un refus,
Ce n'est pas un manque de bonne volonté,
Mais je vois bien dans la vie réelle
Que je suis incapable de pardonner comme toi.

Il demeure quelque chose dans mon cœur:

Il demeure non pas de la rancune,
Non pas du chagrin, non pas de la peine,
Mais une blessure qui ne se cicatrise pas,

Une blessure qui saigne toujours...

Blessure qui fait mal et qui fait souffrir...
Comment faire pour vivre comme si elle n'était pas là?
Comment faire pour sourire, Seigneur,
Quand ainsi le cœur te fait mal et saigne?

Est-ce orgueil, est-ce douleur réelle?

Toi, Seigneur, tu pardonnes sans retour...
Et tu nous aimes autant après une faute qu'avant...
Comment fais-tu, Seigneur, pour faire cela?

Qu'est-ce qui se produit en toi?
Que ni l'insulte, ni l'offense, ni le mépris
Ne te blesse à tout jamais, ou pas du tout?

C'est parce que tu aimes réellement — pour de vrai —
Tu aimes non pas pour toi — mais pour l'autre —

Tu l'aimes; tu veux son bonheur à lui...
Et non le tien, ou ton idée, ou ta façon de faire...
Tu aimes pour vrai, tu es prêt à te sacrifier pour l'autre;

C'est ce que je n'ai pas encore appris à faire.

Tu acceptes l'autre tel qu'il est...
Même s'il ne fait pas ce que tu veux...
Tu le respectes dans sa personne, dans sa pensée, dans son
     agir.
Tu ne veux pas lui imposer
Ta personne, ta pensée, ton agir.

Donne-moi cette capacité d'aimer ainsi
De cet amour vrai qui ne peut venir que de toi
Apprends-moi, comme tu l'as fait pour Marie,
À pardonner, à aimer vraiment
Ceux qui te crucifient... et ceux qui me crucifient...

Toi seul et Marie pouvez m'enseigner ce pardon,
     cet amour.

                    Salut,
                              Ton enfant

LE PARDON

Bonjour, Seigneur,

Tu me dis, Seigneur, que je suis pardonné,
Mais un doute subsiste dans mon cœur...

Un doute... bien des doutes...

Ai-je bien regretté?... Mon regret est-il suffisant?...
Mon repentir est-il sincère?...

Est-ce que j'ai regretté *tous* mes péchés?...
Est-ce que je n'en ai pas oublié?...

Est-ce que ma résolution de ne plus recommencer
Est vraie et totale?...

Tu vois, Seigneur, dans quel pétrin, je me débats;
Je veux t'aimer, j'ai peur parce que j'ai péché
Et que je peux pécher encore...

Je ne me sens pas à l'aise devant toi...
Que vais-je devenir?

—Pauvre enfant, penses-tu que je passe mon temps
A te chercher des péchés?

Penses-tu que je passe mon temps
A me rappeler ceux que tu as faits?

Penses-tu aux bêtises de ton enfant... tout le temps
Lorsqu'il vient te voir?
Lorsqu'il t'apporte un cadeau ou une caresse?
Passes-tu ton temps, toi, à chercher
Quelque chose afin de le punir?...

Parce que tu l'aimes
Et que lui aussi cherche à t'aimer,
Malgré ses bévues et ses erreurs,
Tu ne peux et ne veux pas penser
A ce qu'il a fait de moins bien.

Tu ne penses à rien... tu l'aimes...
Et si tu penses à quelque chose:
C'est quoi faire encore pour lui...
C'est quoi lui donner encore...

Et tu voudrais que mon Cœur
Soit moins grand et moins bon que le tien...?

— Donne-moi, Seigneur, ce cœur d'enfant
Qui me fasse aller à toi sans crainte et sans remords
Toujours et partout... même après avoir péché...

Marie, apprends-moi à aimer sans crainte ton Jésus
Comme tu l'as aimé.

Ton enfant qui voudrait se sentir aimé

FIXE TES YEUX SUR MOI

Cher enfant,

Je vois que ton cœur est bien gros,

Que ton cœur est bien triste...
Pourquoi, enfant de mon cœur, pourquoi cette crainte?

Tu te regardes... Tu regardes tes péchés,
Tu as peur et tu es triste.

Bien sûr, tu ne pourras pas t'en sortir seul...
Et si tu passes ton temps à te regarder...
Comment veux-tu que ça te change?

Pourquoi ne me regardes-tu pas?
Pourquoi ne pas porter tes regards *sur moi*?
Tu oublierais un peu ton amertume,
Tu verrais autre chose que des faiblesses.
Tu réaliserais qu'il y a *Quelqu'un*
Qui te poursuit de son amour...

Arrête, cesse de regarder en bas,
Elève tes yeux vers le haut, vers le Beau;
Fixe les yeux sur ce qui ne ment pas,
Sur celui qui ne peut ni faiblir ni manquer.

Puise, par ton regard dans *mon regard*,
La beauté, la bonté, le pardon, l'amour.
C'est moi, ton Seigneur, qui t'aime
C'est moi et moi seul qui peux et veux te purifier.

Qu'est-ce que tu peux faire de toi-même?
Continuer à te torturer, à te faire des reproches?
Cesse de te regarder...
Cesse de regarder ton cœur, ton petit moi;
Cesse de te souvenir de tes péchés...

Est-ce que je m'en souviens, moi?
Regarde mon cœur...
Mon cœur ouvert par la lance...

Regarde ce cœur qui saigne encore et toujours;
Regarde ce cœur qui par son sang te purifie;
Regarde ce cœur qui par son sang te rend beau devant le
        Père.

Regarde ce cœur demeuré ouvert
Pour que tu viennes t'y cacher...
Oubliant ce que tu as fait,
Pour te laisser consoler, réchauffer, réconforter.

Où te cachais-tu lorsque petit, tu avais peur?
Dans le cœur de ta mère...
Pourquoi penses-tu que je me suis laissé ouvrir le cœur?
Pour te le fermer ensuite?...

Je t'attends depuis longtemps...
Arrête de gémir, de te torturer, de pleurer
Et viens me voir avec Marie qui t'y attend avec moi.

                              Ton ami, le Seigneur

DE TE CONSOLER, M'AS-TU DEMANDE?

Cher enfant,

As-tu laissé un peu de ta tristesse?

As-tu su regarder un peu mon cœur
Qui veut t'enlever ton angoisse?

Regarde-le ce cœur « qui a tant aimé les hommes ».
Et crois-tu qu'il a cessé de les aimer?

Il continue de les aimer — à la folie —
De la folie d'un Dieu pour les enfants qu'il a faits.

Serait-il moins fou qu'une mère pour ses enfants?
« Même si certaines mères peuvent oublier leurs enfants,
Moi, je ne les oublierai pas. »

Moi, je ne t'oublierai pas... toi, oui, toi...
Toi dont le cœur est triste, dont le cœur saigne
Pour toutes sortes de raisons.

Tu pleures, tu gémis, tu te lamentes,
Tu as peur, tu es dans l'angoisse et la tristesse.
Mais tu ne t'es jamais réellement confié à moi...

Tu pries, me diras-tu! Oui.
Mais, cher enfant, m'as-tu demandé
De te consoler — oui, tout simplement — *de te consoler*?

M'as-tu demandé d'enlever de ton cœur, la crainte?
M'as-tu demandé de mettre dans ton cœur, la joie?

Sans te faire de reproche...
Tu as tenté de te consoler tout seul,
Continuant de prier, oui, mais pourquoi?
Pour ne pas aggraver ta situation.

Et qu'as-tu fait de mon cœur, de mon amour
Dans tout cela?
T'es-tu servi de mon cœur
Pour venir panser la plaie du tien?

Regarde Marie au pied de la croix;
Elle ne pensait pas à son cœur qui faisait mal:
Elle pensait au mien, son enfant...

Demande-lui de savoir regarder le mien
D'oublier le tien un peu,
Et tu verras disparaître ta crainte, ton angoisse.

Je cesserais de t'aimer
Après en avoir tant fait?

Voyons, sois raisonnable, logique, conséquent.
Je le suis, moi,
J'ai tout fait pour toi...

Toutes tes fredaines ne sont pas plus grandes
Que cet amour fou que je te porte...
Voyons, bel enfant, penses-y un peu.

Ton Seigneur

63

POURQUOI AS-TU PEUR ?

Bonjour, mon enfant,

Pourquoi as-tu peur ?

Cher enfant de mon cœur,
Je suis toujours avec toi.

Tu étais dans ma pensée, dans mon cœur
Lorsque j'ai été crucifié sur la croix.
Tu y étais avec l'amour que tu me portes,
Tu y étais, oui, écoute, avec tes péchés.

Et j'ai voulu souffrir tout cela
Justement à cause de tes péchés...

Alors ils sont déjà et depuis longtemps pardonnés.
Moi, je les ai oubliés depuis belle lurette.
Toi, on dirait que tu les aimes :
Tu essaies de t'en souvenir...

Tous tes vieux péchés, je les ai oubliés.
Mais il y en a un
Que tu fais maintenant, pendant que je te parle :

C'est de ne pas me faire confiance
Quand je te dis : « Je t'aime tendrement. »
Je t'aime de tout mon cœur,
Je t'aime comme *tu es maintenant*.
Avec les bonnes et les mauvaises actions
Que tu as faites.

Oui, tu me fais mal, très mal,
Tu fais saigner de nouveau mon cœur,
Tu fais pleurer encore mes yeux
Lorsque tu continues à avoir peur de moi...
Peur pour ce que tu as fait,
Peur pour ce que je pourrais te demander.

Comme tu me fais de la peine,
En ne me faisant pas confiance...

Qu'est-ce que je pourrais faire de plus
Pour te prouver que je t'aime, toi qui m'écoutes,
Toi qui me lis en ce moment, toi qui as encore peur?

Je t'aime, je t'aime, je t'aime;
Ne me croiras-tu pas?

Ne me penses-tu pas assez bon, assez puissant
Pour pardonner tout ce que tu as pu faire?

C'est moi qui te purifie, qui te sanctifie,
C'est moi qui te rends beau à mes yeux...
Ce n'est pas toi...

Je te confie à la petite Marie
Qui te fera comprendre
Et cesser d'avoir peur.

                    Bonjour,

                              Ton Seigneur

PARFOIS JE ME SENS ABANDONNE

Bonjour, Seigneur,

O Seigneur, toi qui sais,

Tu sais comment mon cœur est lourd et triste
Devant le vide des choses de ce monde
Et devant la difficulté de vivre avec persévérance

La vie de foi !

Tu es là au cœur de ma vie, me dis-tu,
Tu es là au-dedans de moi,
Tu es là au moment de mes peines,

Tu es là : cause de mes joies.

Oui, tu es là, mais combien difficile à percevoir.
Tu sais bien être silencieux, te cacher,
Si bien te cacher que parfois
Je me demande si tu es toujours là.

Tu veux me donner le mérite de la foi...
Mais, Seigneur, que c'est dur parfois, tu le sais ;
Tu le sais — toi qui es aussi passé par là,
Au moment de ton agonie,
Au moment de ta mort sur la croix :
« Père, pourquoi m'as-tu abandonné ? »

Que terrible et inconcevable fut ta douleur !
Abandonné des hommes... de tes amis... de tes apôtres...
Et le Père qui se cachait...
« Père, pourquoi m'as-tu abandonné ? »

Moi aussi parfois, je me sens abandonné,
Je te trouve bien loin, pour ne pas dire absent...

Ne me garde pas rancune
Si parfois, je suis ou presque au désespoir,
Si ma joie et mon espérance disparaissent.

« Dirige-moi, Seigneur, dans tes chemins d'éternité. »
Tu me conduis dans les chemins où toi-même es passé,
Tu me conduis par une route sûre, sans doute,

Mais combien difficile...

Garde-moi constant dans ce sentier
De la purification et de la rédemption ;
Garde mon âme dans la foi, mon cœur dans l'espérance,
Soutiens mon esprit de ta force.

Sur la croix tu m'as donné ta maman :
Elle est devenue la mienne.
Qu'elle soit auprès de moi
Lorsque tu voudras jouer à la cachette avec moi.

O Seigneur, ne m'abandonne pas.

Ton enfant

C'EST ÇA, ETRE DIEU

Bonjour, mon enfant,

Quand je te dis que je t'aime
Ne me croiras-tu pas ?

Continueras-tu à te regarder
Au lieu de regarder ce que je suis,
Ce que j'ai fait, ce que je fais
Pour toi et pour tes frères ?

Penses-tu que je t'ai créé pour ensuite te faire périr ?
Et après t'avoir créé,
Je ne m'occuperais pas de « l'ouvrage de mes mains »,

J'abandonnerais le fruit de mes entrailles ?
Je serais moins bon, plus cruel que toi ?
Mon unique désir est et sera toujours
De partager mon bonheur avec toi.

Je veux te libérer de l'esclavage de toi-même,
De l'esclavage de tes passions,
De l'esclavage du démon, jaloux de mon amour pour toi,
De l'esclavage du péché que le démon te fait commettre,
De l'esclavage de la maladie, des infirmités, etc.
C'est ça, être le Seigneur !

C'est vouloir et pouvoir te libérer de tout cela ;
C'est tout faire et tout donner pour te rendre heureux

Maintenant et toujours,
Heureux totalement, parfaitement ;

C'est ça, être Dieu !

Ma puissance s'est manifestée en créant l'univers ;
Ma puissance s'est manifestée en te créant dans cet
    univers ;
Ma puissance s'est manifestée par toutes les délivrances
Que j'ai accordées depuis toujours et encore
Aux nations, aux peuples, aux individus,
A tous ceux qui m'aiment,
Et même à ceux qui me blasphèment...

Et tu ne me ferais pas confiance ?...
Tu te fies plus à toi-même qu'à moi...

Regarde dans l'Evangile ; regarde ma vie sur la terre...
Est-ce que j'ai condamné les pécheurs, les faibles ?
J'ai réprimandé les Pharisiens hypocrites,
Les Pharisiens qui ne voulaient pas de moi...

Les autres, je leur ai tout pardonné...
Tu serais traité plus sévèrement ?... Pourquoi ?...

Que la Vierge, ma Mère et la tienne
T'apprenne tout l'amour
Que j'ai pour vous tous, même les pécheurs...

                         Salut,

                                Ton Seigneur

                                             69

JESUS, VICTIME INNOCENTE !

Bonjour, Seigneur,

Inconcevables, Seigneur, ces moments
Où, abandonné de tous,
Et où le Père se cache à tes regards...
« Père, pourquoi m'as-tu abandonné ? »

Seul, bien seul...
Suspendu par quatre clous...
Entre terre et ciel...
Tu es le lien, tu es celui qui réunit
La terre avec le ciel !

Tu es celui qui rétablit la relation
Entre l'homme et Dieu...

Et le ciel et la terre t'abandonnent...
Seul... bien seul... nu... cloué...

Privé de toute considération,
De toute liberté, de toute puissance,
Rejeté du Père, tu portes les péchés du monde.
Méprisé par les hommes,
Tu leur reproches leur orgueil, leur sensualité.
Ton âme est faite pour le ciel qui t'est fermé...
Ton cœur désire les hommes, tes frères...
Qui tous te renient...

Victime innocente ! ! !

Ton sang, ton abandon, ta mort nous rachètent.
Ton humiliation, ton obéissance
Nous réconcilient avec le Père,
Car c'est l'amour qui triomphe.

Le Père te redonne son amour;
Et toi tu aimes toujours
Les hommes qui te crucifient.

Et par cet amour tu effaces tous les péchés,
Tous quels qu'ils soient...
Tu ouvres les portes de la demeure du Père.

J'ai peur, Seigneur, de cette croix,
J'ai peur de te regarder dans cet état,
Car je vois alors le peu d'amour de mon cœur,
Je vois mes égoïsmes, mes refus à tes appels,
A ton amour.

J'ai peur parce que je ne veux pas changer, je suis si lâche.
Pourtant, cette douleur qui fut la tienne
Paie pour *mes* orgueils, *mes* sensualités.

Marie, toi qui étais là au pied de la croix,
Marie, toi qui n'avais pas péché
Prie pour moi, pécheur...
Marie, prie pour moi, pécheur...

Que toute cette souffrance ne soit pas vaine
Et qu'enfin je comprenne!

Ton fils

71

JE SUIS VIE, BONHEUR, LIBERTE, AMOUR

Bonjour, mon jeune,

Oui, bonjour à toi,

Jeune homme ou jeune fille,
Bonjour à toi qui cherches.

Tu désires la vie : tu la désires en abondance,
Tu veux plus de justice, de vérité,
Tu veux pour toi et les autres la vraie liberté.

Tu gémis et souffres dans le carcan
De la vie matérialiste moderne,
Tu sens et tu sais que tu es fait pour mieux que ça,
Tu gardes ton espoir, ta foi dans l'avenir.

Quelque chose te dit que ça viendra.

Je suis, — moi qui te parle, —
Je suis ce que tu cherches.
Je suis la Vie, le Bonheur, la Justice, la Liberté...
Je suis celui qui t'a fait,
Je suis celui qui met en toi ces bons désirs,
Je suis celui qui les réalisera pour toi
Puisque tu es sincère et que tu veux vraiment.

Je t'ai fait à mon image :

Je t'ai fait pour le bonheur,
Mais un bonheur qui n'est pas terrestre.
Je t'ai fait pour devenir comme moi :
Vie, bonheur, liberté, amour.

Je suis déjà au fond de toi...

Je voudrais que tu en prennes conscience :
Je voudrais que tu réalises le pourquoi de ta vie...

Tu as été fait par moi
Afin de pouvoir partager avec moi
La surabondance de ma vie.

C'est moi qui suis la source
De toute la vie que tu vois dans l'univers.
J'ai tout créé afin de pouvoir donner...

Donner, donner... donner...

Et ce que je donne... C'est moi-même !

Ton jugement, ton intelligence, ta liberté
Te dirigent vers moi
Qui suis tout, qui fais tout, qui donne tout...

Ne te laisse pas étouffer par la vie moderne ;
Garde ton espoir, demeure dans l'espérance.

Invoque Marie, ma Mère :

Elle te fera comprendre bien des choses...
Et viens me voir.

Salut !

Ton Seigneur

PRIER, C'EST...

Bonjour, Seigneur,

Te prier, Seigneur...

Pour dire vrai, je ne sais vraiment pas ce que c'est.

Depuis mon jeune âge, on me dit de prier...
Depuis l'âge de cinq ans que je prie
Et je suis rendu pas mal vieux...

Je pense que je n'ai jamais su prier;
Ou bien j'en perds au lieu d'apprendre...

Oui, je prie, Seigneur, tu le sais,
Peut-être pas autant que je le devrais, mais je prie...
Ma prière est, certes, souvent mal faite...

Aussi il y a des fois où j'ai envie de tout lâcher...
Prier... réciter des formules, réciter des prières...
Il vient un temps où elles m'ennuient;
Elles doivent t'ennuyer toi aussi!!

En apprendre de nouvelles?
Je n'ai pas d'instruction, je suis trop vieux;
Je n'ai plus de mémoire;
Je ne suis pas capable non plus
De faire de belles phrases...

Prier...
C'est quoi au fin fond, « prier », Seigneur ?

Mon enfant, tu te tortures pour rien.

Prier, c'est causer avec moi, c'est me parler
Avec tes mots à toi
C'est tout simplement me dire
Ce que tu as dans le cœur, sur le cœur,
C'est me dire tes désirs, tes joies, tes peines,
C'est me dire tes péchés, tes bonnes actions,
C'est me dire que tu m'aimes,
C'est me dire que tu voudrais m'aimer plus ;
Enfin c'est être tout simplement là, avec moi.

Mais, mon enfant, dis-moi cela avec *tes mots à toi* ;
Les mots des autres, c'est pour les autres.
N'essaie pas de parler comme un autre.

Quand tu vas causer avec un ami,
Prépares-tu des formules avant de partir ?
Ou si tu laisses parler ton cœur, ton amitié ?

Pouquoi veux-tu me parler
Avec des mots qui ne sont pas à toi ?
Penses-tu que les belles phrases des autres
Me plaisent plus que ce que me dit ton cœur ?

Marie ne me disait pas grand-chose...
Elle m'écoutait et me regardait...
Fais comme elle. Mais viens me voir.

Salut,

Ton Seigneur

TE REGARDER POUR VIVRE

Bonjour, Seigneur,

J'ai peur de paraître devant toi.

Je ne suis pas content de moi-même,
Mes fautes blessent mon orgueil,
Mes péchés me diminuent à mes propres yeux.

Je voudrais ne pas avoir péché
Non pas parce que je t'ai offensé,
Non pas parce que j'ai peiné mon frère,
Mais parce que je ne puis me dire aussi parfait,
Aussi bon que je le voudrais.

T'imaginant mesquin comme moi,
Je te pense non content de moi,
Ne m'aimant plus comme auparavant...

Je pense ou je me dis:
Je ne suis plus aussi beau à tes yeux,
Aussi beau que je devrais ou voudrais l'être
Pour être admis devant toi...

Et comme je crois, dans mon orgueil,
Que c'est moi qui me rends parfait,
Comme je crois, dans mon ignorance,
Que c'est moi-même qui me purifie,
Me voyant pécheur, malade,
Je n'ai plus le pouvoir, la capacité de me purifier...

Alors je n'ai plus qu'à me désoler, à craindre ;
Je devrais pourtant savoir
Que je ne puis me purifier moi-même,
Que c'est toi et toi seul qui sanctifies ;
Que tu n'attends pas mes mérites,
Ni ma capacité, ni ma bonté
Pour me pardonner, pour me sanctifier,
Pour me donner ton amour.

Tu pardonnes parce que tu es bon ;
Tu sanctifies parce que toi seul es saint ;
Tu donnes parce que toi seul possèdes tout ;
Et que tu vois mes besoins.

Donne-moi de ne plus regarder mes péchés, ma petitesse,
Mais de regarder ton amour, ta bonté, ton pardon.

Donne-moi de te regarder, toi, et non moi,
De voir que tu m'aimes plus que moi-même…

Pourquoi me désoler, m'attrister ?
Tu n'es pas comme moi,
Tu pardonnes tout… et toujours…

Marie t'a consolé souvent
Lorsque tu étais enfant…
Dis-lui de venir auprès de moi dans ma peine.

Ton fils

TE REGARDER ET TE VOIR

Bonsoir, Seigneur,

Seul avec toi ce soir, Seigneur,
Je veux te regarder, être avec toi...
Non pas prier, car prier, pour moi,
Ça veut dire trop souvent : quémander,
Réciter des formules.

Je veux être avec toi simplement,
Te regarder, Seigneur,
Te regarder, te voir dans ta solitude,
Te voir dans ta tristesse devant tant de cœurs
Qui te repoussent.

Te regarder : sentir ta peine
Devant ces cœurs qui ne te repoussent pas,
Mais qui au fond ne t'aiment pas...
Devant ces cœurs qui t'oublient,
Devant ces cœurs qui pour toutes sortes de raisons
N'ont pas le temps de venir te voir...

Te regarder, O Cœur de Jésus.
Te regarder, Cœur transpercé...
Transpercé par ce monde païen, matérialiste
Qui court à sa destruction, à sa perte.

Ta douleur, Seigneur, sera donc sans fin.
Ta douleur, Seigneur pour tous ces hommes, tes frères,
Qui ne veulent pas de toi...

Ils te laissent seul tel un étranger...
Toi qui es venu parmi eux en ami, en frère...
Toi qui les sauves, leur pardonnes, les soutiens,
Toi qui veux vivre avec eux.

Tu t'es fait homme comme nous
Pour partager notre vie d'homme,
Avec ses joies et ses peines.

Nous te traitons comme nous traitons nos frères, tes
    frères :
Avec oubli, haine, rejet, abandon, injustice,
Indifférence, moquerie.

Nous renouvelons, à notre façon, ton crucifiement :
« Enlevez-le, crucifiez-le », disons-nous,
En ne voulant pas entendre parler de toi,
En nous moquant de ton commandement d'amour,
En te mettant volontairement de côté.

Tu disais sur la croix :
« Père, pourquoi m'as-tu abandonné ? »
Tu dis maintenant dans ton tabernacle :
« Mes amis, mes frères, pouquoi m'abandonnez-vous ? »

Pour amasser des richesses sans valeur ?
Pour vous satisfaire dans des plaisirs qui vous détruisent ?

Marie, apprends-moi à revenir à Jésus
Bonsoir à toi, Seigneur, et à toi, Marie

Votre fils

79

TU ES SOURCE DE VIE

Bonjour, Seigneur,

Je vois que tu veux venir en moi,

Que tu veux venir faire ta demeure en moi,
Que tu veux me transformer en toi,
Que tu veux m'envahir totalement
Pour me faire participer complètement
A tout ce que tu es toi-même.
Tu veux me pénétrer intimement
Au plus profond de mon être
Comme le feu pénètre, change,
Transforme le métal qu'il rend incandescent.
Tu veux que je devienne comme toi :
Feu, lumière, chaleur et vie.

Pour cela je dois m'exposer à tes rayons,
Je dois me laisser pénétrer par toi...
Je dois te faire de la place...
Je dois me laisser faire...
Je dois te regarder, fixer mon regard sur toi.

Mais, depuis le temps... que je *me* regarde...
Que j'attire tout à moi et pour moi seul ;
Depuis le temps que j'essaie
De faire accepter mes idées,
Mes façons de penser et mes goûts ;
Ce n'est pas toujours conscient,
Mais c'est constant.

Tu me demandes aujourd'hui,
Tu me l'as déjà demandé,
De penser aux autres, de voir les autres
Et surtout de te voir, toi...

J'ai peur de devoir changer certaines habitudes,
De sacrifier certains plaisirs que je nomme bonheur.
Et pourtant c'est toi, et non pas moi,
Qui es la source du bonheur, qui es *le bonheur*.

Aveuglé, engourdi je ne veux pas voir où est mon vrai
    bonheur...

C'est toi qui es la Vie
Qui seule peut me rassasier.

Je me regarde et me recherche...
Et pourtant c'est toi et toi seul
Qui peux combler ma soif de bonheur.

Apprends-moi à te regarder,
A ne pas craindre de me perdre
En te laissant me pénétrer.

Que Marie, ma Mère m'apprenne
A me laisser saisir par toi...

Ton fils, Seigneur

81

VERS TOI JE M'EN VAIS

A toi, Seigneur, cette chanson.

Mon cœur te désire, te cherche ;
Seigneur, je m'en vais vers toi.

Tu m'as fait pour toi,
Seigneur, je m'en vais vers toi.

Ta main me guide, me conduit ;
Seigneur, je m'en vais vers toi.

Tu es la réalisation de mon être,
Vers toi je m'en vais.

Je m'en vais dans la joie,
Vers toi, Seigneur.

Pour te chanter, te louer, te bénir.
Vers toi je m'en vais.

Tu m'as donné d'être ;
Dans la joie,
Vers toi, je m'en vais.

Tu me donnes la vie, la liberté ;
En chantant,
Vers toi, Seigneur, je m'en vais.

Pour devenir ce que je dois être,
Vers toi je m'en vais.
Pour accomplir ce pourquoi je suis fait,
Vers toi, je m'en vais.

Tu réalises en moi des merveilles ;
Vers toi je m'en vais.
Tu m'envoies ton Fils, ton Esprit,
Vers toi je m'en vais.

Tu me donnes ton Eglise ;
Vers toi je m'en vais.
Dans mon cœur tu mets l'espérance,
Vers toi je m'en vais.

Ton bras, ton amour me rassurent ;
Je m'en vais,
Dans la joie,
Vers toi.

Ne regarde pas mes faiblesses ;
Vers toi je m'en vais.
Je suis bien misérable,
Vers toi je m'en vais.

Je suis ton enfant,
Vers toi je m'en vais.

Avec Marie tu me recevras ;
Vers toi, Seigneur, je m'en vais,
Pour l'éternité
Vers toi, Père.

Amen

VIENS VERS MOI

Bonjour, mon enfant,

Oui, mon enfant, viens vers moi

Viens à moi
Avec tout ton cœur, toute ton ardeur,
Dans l'enthousiasme de tes jeunes ans.

Viens, ne te laisse pas distraire,
Ne te laisse pas détourner
Par qui ou quoi que ce soit.

Si tu savais avec quel amour
Je t'attends...

Viens à moi.
Ne crains pas, tu es à moi :
Je t'ai racheté à grand prix :
Au prix de mon sang, de ma vie.

Comment me serait-il possible de t'oublier ?
Comment pourrais-je t'abandonner ?
« Si tu savais le don de Dieu,
Si tu connaissais celui qui te parle »...

Oui, mon enfant, viens, ne tarde plus...
Tu es ma vie
Comme je suis ta vie.

Nous sommes faits pour vivre ensemble.
Tu fais partie de moi-même.
Et je fais partie de toi...

Viens, ne te laisse plus attarder
Par les soucis, les tracas, les plaisirs
De ce monde qui passe.

O mon enfant que j'aime, ne me croiras-tu pas ?
Que peux-tu faire sans moi ?
Et moi aussi j'ai besoin de toi...

Ne tarde plus, donne-moi ton cœur ;
Je le transformerai en lampe ardente
Pour la gloire du Père.

Fais-moi confiance et viens.
Laisse de côté ta sagesse humaine,
Ta vanité, tes garanties temporelles, ton indépendance.

N'aie pas peur de te perdre...
« Qui perd sa vie pour moi, la sauvera ».
Viens te retrouver tout entier,
Complètement libre... de la vraie liberté.

Marie a-t-elle été mon esclave ?
Elle fut et est ma Mère...
Elle le sera toujours
Parce qu'elle s'est livrée à moi...

Toi, que feras-tu ?

Je t'attends, Ton Seigneur

COMME JE T'AIME

Bonjour, mon enfant,

Je veux te dire encore une fois
Mon grand désir de toi.
Mon grand désir de te rendre heureux.

Je viens, je viens du haut du ciel,
Je viens sur la terre des hommes.
Je viens sur ta terre à toi
Et je veux venir en ton cœur...
Ne m'écouteras-tu pas?

Oh! mon enfant bien-aimé,
Comme tu tardes à venir me voir,
A venir m'écouter, à venir à moi.

Ma voix crie dans le désert
Comme celle de saint Jean-Baptiste.
Pourtant cette voix, cet appel est réel:
Je crie dans le désert de ton cœur!

Ton angoisse, ta tristesse, tes remords,
Tes regrets, tes désirs, tes espérances
Sont toutes mes voix qui crient en toi,
Mais trop souvent tu essaies de ne pas entendre.

Je t'invite encore une fois ;
Je voudrais te combler à Noël,
Je voudrais te faire partager ma paix joyeuse.

Cette paix profonde que seul je peux donner.
Cette paix, tu ne la trouveras pas
En me fuyant, en te tenant loin de moi,
Ni en étouffant ma voix qui parle dans ton cœur.

Je ne me tairai pas tant que tu ne m'écouteras pas.
Et si tu ne veux pas m'écouter...
Je serai forcé alors de prendre d'autres moyens...

Je te veux heureux, pleinement heureux,
Non seulement après la mort, mais dès maintenant.

Regarde autour de toi :
Il y en a qui, en m'écoutant,
Ont trouvé un bonheur profond ;
Et ce n'est qu'un commencement.
Je leur réserve beaucoup mieux,
A toi aussi je veux tout donner.

Demande à Marie qui a préparé ma venue,
Demande à Marie d'ouvrir ton cœur.

Je viens avec puissance et majesté.
Je suis vainqueur de tout
Pour le bonheur de ceux qui me cherchent.

Salut,

Ton Seigneur

NOEL

Bonjour, mon enfant,

Noël! Noël! mon enfant,

C'est moi qui viens à toi!
C'est moi qui t'apporte ma paix joyeuse!

Je veux que Noël soit dans ton cœur;
Je veux que tu sois complètement heureux:
C'est pourquoi je viens...

Et je ne regarde pas à ce que ça coûte
Pourvu que tu sois heureux,
Oui toi, toi qui m'écoutes, je te veux heureux.

Je t'aime, c'est pourquoi je viens.
Je ne viens pas pour moi...
Pour qui alors, si ce n'est pas pour toi?

Et ce Noël que je t'apporte,
Je le veux pour toi, non pas seulement ce soir,
Je le veux non pas seulement pour une nuit,
Je le veux ce Noël, dans ton cœur,
Tous les jours de ta vie.

Je suis la paix, la joie.
Je suis «le Désiré des nations,»
Je suis celui que tous les cœurs cherchent.

Tu peux me rencontrer aujourd'hui, ce soir !
Je viens à toi.

Sauras-tu me recevoir, me reconnaître ?
Ou feras-tu comme autrefois à Bethléem ?
Diras-tu que tu n'as pas de place.
Que tu n'as pas de temps pour moi dans ta vie.

Qu'attends-tu pour me recevoir, m'accepter ?
Je me présente à toi depuis longtemps.

Tu viens goûter ma joie,
Tu viens te reposer dans ma paix
Et... tu retournes à tes misères...

Quand apprendras-tu
Que c'est moi, ici, avec toi ce soir,
Quand apprendras-tu que c'est moi
Le vrai Noël ?
Pour aujourd'hui et pour toujours...

Donne-moi ce cœur, ton cœur
Je le comblerai.
Mais donne-le-moi totalement...

Regarde Marie si heureuse ce soir :
Son cœur est tout à moi :
Je suis tout à elle...

Ton vrai Noël

CREATEUR DE PAIX ET DE JOIE

Bonjour, mon enfant,

Réjouis-toi, Jérusalem!
Réjouis-toi, car je suis avec toi!

Oublie pour quelques instants,
Oublie tes angoisses, tes tristesses
Et goûte la joie de ton Dieu!

Goûte la joie de ce Dieu qui veut t'envahir,
Qui veut que tu ne sois que joie.
Mais oui, mon enfant, je t'ai fait à mon image.

Ça veut dire quoi?
Je veux que tu deviennes comme moi:
Amour, joie, paix et vie.

Je te fais goûter à ce que je suis
Pour que tu dises oui
A cette invitation que je te fais.

Je t'invite depuis longtemps,
Mais je veux respecter ta liberté.

Arrête-toi quelques instants
Dans ta course folle,
Dans ta recherche effrénée
De toutes ces choses qui t'éloignent de moi.

Ce bonheur, cette liberté, cette joie
Que ton cœur désire et cherche :
C'est moi...

Ne le sens-tu pas en ces jours
Où tu célèbres ma venue sur la terre,
Ma venue parmi les hommes tes frères ?
Où tu fêtes mon assimilation à toi
Afin que toi aussi tu sois assimilé à moi ?

Tu fêtes Noël ! Tu fêtes à Noël !
T'es-tu arrêté pour réfléchir un peu ?
Tu fêtes, tu es joyeux,
Tu es dans la paix, tu es dans la joie,
Mais ça vient d'où, tout cela ?
De nulle part, crois-tu ?

Mais ça vient de quelqu'un,
D'un quelqu'un qui est la paix, la joie ;
D'un quelqu'un qui donne la paix, la joie.

Pourquoi ne pas rechercher
Tous les jours
Ce créateur de paix ?

Regarde Marie :
Malgré ses tribulations
Malgré les grandes épreuves qui l'assaillent,
Elle est toujours dans la joie et la paix...
Pourquoi ? Elle est avec son Jésus, elle est avec son Dieu.

Salut,

Ton Seigneur

CHOISIR ENTRE TOI ET MOI

Bonjour, mon enfant,

Tu me désires et me cherches ?

Ça me fait plaisir de te l'entendre dire.
Tu veux participer à ma paix, à ma joie.

Ton désir cependant, je le crains,
N'est pas tout à fait vrai,
Il est encore superficiel...

Tu veux me posséder, devenir un autre moi
Sans vouloir réellement changer.

Tu veux participer à ce que je suis,
Mais sans rien sacrifier de toi-même ;
Sans perdre de ce que tu as,
Ni surtout de ce que tu es...

Ne vois-tu pas que tu demandes l'impossible ?
« Celui qui perd sa vie pour moi la sauvera ;
Celui qui veut garder sa vie la perdra !... »

Il te faut choisir entre toi et moi...
Si tu viens à moi et te livres totalement,
Si tu te donnes complètement,
Sans rien garder, sans rien retenir,
Sans poser un tas de conditions,
Alors je pourrai t'envahir, te transformer ;
Je pourrai mettre en toi
Tout ce qui est de moi, tout ce qui est à moi.

C'est ici qu'il te faut un cœur d'enfant...
Ça veut dire quoi? Regarde l'enfant...
Il fait totalement confiance à ses parents...

Il n'a aucune crainte, aucune peur,
Ça ne lui vient même pas à l'idée...

Il n'a aucune préoccupation,
Ni pour le passé ni pour l'avenir.

L'enfant ne garde rien pour lui...
Ce qu'il veut, c'est son papa, sa maman.

Tu dis que tu m'as tout donné,
Que tu m'as tout confié...
Combien de choses tu gardes :

Ta façon de penser...
Ta façon d'agir...

Tu as peur que je te demande bien des choses...
C'est donc que tu ne me les as pas encore données...
Réfléchis un peu et tu m'en reparleras...

Marie a donné sa vie, sa maison,
Son pays, sa réputation...
Demande-lui de t'aider.

A bientôt,

Ton Seigneur

JE TE BLAMAIS

Bonjour, Seigneur,

Tu m'as fait réfléchir
Et je vois que c'est moi qui ai tort.
Je te blâmais, te critiquais même
Pour ce que tu fais.

Je croyais pour ma part avoir tout fait,
Tout fait ou presque...

Et trop facilement je te jetais la pierre
Sans trop savoir ce que je faisais.
Je m'en excuse auprès de toi
Et t'en demande humblement pardon.

Je n'avais pas réfléchi bien fort :
Te donner tort à toi, Seigneur,
Et me donner raison devant toi :
Quelle absurdité et quel orgueil !

Et je me demandais ensuite pourquoi,
Pourquoi tu ne te manifestes pas plus à moi ?

Je n'ai pas pensé, insensé que je suis,
Je n'ai pas songé à regarder en moi d'abord,
A scruter mon cœur, ma pensée
Et à trouver là ce qui manque
A cette union très intime avec toi.

Tu as fait, toi, les premiers pas —
Tu les fais toujours ;
Tu es toute-puissance et amour.

C'est moi et moi seul qui mets obstacle
A la réalisation de tes désirs en moi.

Tout d'abord, je n'ai pas compris
Ce que tu veux faire en moi,
Je n'ai pas cru non plus à ton amour.
J'ai cru ton amour platonique
Comme le mien.

Je ne t'ai jamais vu, imaginé, pensé
Comme m'aimant vraiment, pour de vrai ;
M'aimant, me désirant et me voulant
Tout ce qu'il y de mieux.

Je t'ai vu plutôt comme un maître et un juge
Que comme un Père aimant et tendre.

D'où mes critiques, mes blâmes,
D'où aussi mes abandons.
Je ne t'ai pas cherché vraiment
Et je t'ai jugé...

Que Marie qui s'est laissée aimer
M'apprenne ce qu'est l'amour.

Bonjour, Seigneur

MES CAUSERIES AVEC TOI

Rebonjour, Seigneur,

Tu m'en découvres des choses,

Seigneur, quand je parle avec toi;
C'est une de mes nombreuses fautes, Seigneur,
De n'être pas venu assez souvent causer avec toi.

Je ne suis pas venu assez longtemps
Parce que trop pressé, toujours préoccupé,
Ayant peur de me faire prendre
Et d'être obligé de changer de vie.

Je suis venu, oui, te rencontrer à la course,
Mais sans vraiment te livrer mon cœur,
Sans réellement regarder, écouter ton cœur.

Et je repartais trop vite, sans être consolé,
Sans avoir compris.
Et dans mon désarroi, dans ma peine,
Il était facile de te jeter la pierre.

Tu as encore raison, Seigneur;
Qui d'autre que toi
Peut m'enseigner, me faire goûter ce que tu es?

Je t'ai imaginé à ma façon à moi
Et n'ai pas été assez sage, assez intelligent
Pour te regarder, toi, t'écouter, toi.

Il faudrait que je vienne plus souvent
Et aussi plus longtemps,
Afin que tu aies le temps de me parler,
De me réchauffer au feu de ton amour.

Je n'ai pas saisi encore exactement
Ce que je suis ni ce que tu es,
Ce que nous sommes l'un par rapport à l'autre.

Je te vois d'un côté : heureux, puissant
Dans ton ciel inaccessible,
Et moi de l'autre côté :
Misérable, triste souvent, impuissant
Sur cette terre de misère.

Je ne t'ai pas vu comme un Père
Un vrai Père aimant, un Père tout-puissant
Mais toujours Père et qui veut et peut
Rendre son enfant heureux,
Non seulement plus tard, mais dès maintenant.

J'ai vécu de mon côté en évitant tout simplement
De t'insulter pour ne pas être puni.
Que j'ai été ignare, orgueilleux !

Que Marie, que tu m'as donnée comme Mère,
Vienne à mon secours.

Ton fils qui te cherche

TE DONNER MON COEUR

Bonjour, Seigneur,

Je ne suis pas assez venu

Te voir, t'entendre, te goûter :
« Voyez et goûtez comme est bon le Seigneur ! »

Je me suis pensé correct, sans blâme
Parce que je ne t'avais pas insulté...
Que j'avais fait et faisais le strict minimum
Pour ne pas être puni, pour ne pas être chassé.

Et je me croyais bien bon !
Je me pensais bien « juste » !
« Pas comme les autres qui sont voleurs,
Adultères, blasphémateurs... »

Moi, je ne fais pas ces choses-là.
Je suis un juste, j'aime le Seigneur ;
Je suis certes un modèle,
Quelqu'un qu'on doit imiter.

J'ai le droit de me rengorger, d'être fier de moi.
Et j'appelais cela de l'amour !

Je cherchais ma gloire.
Mais, Seigneur, tu me fais voir
Que je n'ai encore rien donné,
Je n'ai pas encore aimé vraiment.

Mon jardin n'a encore rien produit.
J'ai enlevé les gros obstacles
Mais il reste encore beaucoup à sarcler;

Et surtout, il manque cette semence,
Cette semence que toi seul peux semer:
Semence d'amour, semence divine
Que tu ne jettes pas partout.

Je dois ouvrir mon cœur,
T'appeler, te demander cette divine semence
Qui germera sous ton action à toi.

Il me faudra arroser, certes,
Et continuer de sarcler.

J'ai vu dans d'autres jardins
Des fleurs superbes au parfum délicieux;
Je les envie parfois...

Donne-moi, Seigneur, de faire comme eux,
De donner mon cœur à ton divin bêchage;
Donne-moi de ne pas craindre
Les arrachements, les coupures, les retournements.

Tu as trouvé, en Marie, ce cœur ouvert.
Elle fut alors par toi comblée de grâces
Viens, Seigneur, en moi; je me donne,
Je me livre à ton action purifiante.

Ton enfant

O MARIE, LA PLUS BELLE DES FEMMES

MARIE, pour ta fête, le 2 février

O Marie, la plus belle des femmes,
Toi, fille d'Eve adulée par le Père,
Envahie par l'Esprit,
Comblée par le Fils,
Par ce Fils qui est le fils du Père
Et qui est ton fils.

Toi, Marie, femme entre toutes les femmes
Toi l'épouse du Père :
« Le Seigneur est avec Toi. »

L'Esprit qui plane sur la création
« Te couvre de son ombre ».

Le Seigneur des seigneurs,
Le Roi des rois,
C'est ton enfant.

Toi, Marie, fille d'homme,
Tu es Mère de Dieu.

Comblée de la grâce d'en Haut
Tu demeures auprès de nous
Et tu deviens notre Mère.

O Toi, la plus belle des femmes,
Fille parfaite de l'homme,
La plus humble des enfants de la terre,
Tu es souveraine de l'univers.

Tu es la porte ouverte sur les cieux :
Sois notre guide, à nous, pauvres gueux.

Toi, toute pleine de grâce,
Apprends-nous la reconnaissance,
Détache-nous de ce qui passe,
Conduis-nous à cette naissance
Dans la vie de Jésus ton enfant.
Sois pour nous, non pas une reine,
Mais une tendre maman
Toujours accueillante et sereine.

O Toi, la plus belle des femmes,
Toi qui es bénie entre elles toutes,
Tu es celle que l'enfer redoute.

Tu es la merveille de la Trinité.
En toi habite la divinité :
« Le Seigneur est avec toi »
Le Seigneur est en toi,
Le Seigneur est à toi.

Dieu avec amour te regarde !
Sois pour nous sauvegarde.

Nous nous inclinons devant ta beauté,
Sois pour nous bonté.
O Marie.

Amen, Alléluia !

QUI ES-TU, SEIGNEUR?

Bonjour, Seigneur,

Qui es-tu, Seigneur?

Tu habites l'inaccessible,
Tu parles sans te laisser voir,
Tu appelles, tu régis et tu gouvernes.

Mais au fond, qui es-tu, Seigneur?

Quelle est ta vie?
Que fais-tu?
Où es-tu?

Pourquoi tant de mystères autour de toi?
Pourquoi tant de secrets?
As-tu peur d'être ennuyé, dérangé?
Crains-tu d'être envahi?

Pourquoi es-tu si grand et moi si petit?
Pourquoi m'as-tu fait, m'as-tu créé?
Que veux-tu que je t'apporte
Que tu n'aies déjà?

Qui es-tu, Seigneur?

Que fais-tu?
Et moi, pourquoi suis-je là?
Qu'attends-tu de moi?

Je ne te vois pas, Seigneur,
Mais je perçois ton existence.
Je réalise, sans trop savoir comment,
Je réalise que tu existes, que tu es.

Qui es-tu, Seigneur?

M'est-il possible de le savoir?
Suis-je indiscret, impoli en voulant savoir?

Je vois bien que je n'existe pas par moi-même,
Quelqu'un d'autre m'a fait...
Un autre m'a créé, m'a donné la vie.
Qui est-il, ce quelqu'un?
Où est-il?

Qui es-tu, Seigneur, dis-le moi.

Je veux savoir.
Mon cœur te désire et te cherche.
Je sens en moi ce besoin de toi.
Que puis-je faire sans toi?
Et que deviendrai-je sans toi?

J'ai beau vouloir m'émanciper,
Je sens en moi ce besoin de toi.

Mais qui es-tu donc?...
Grand Silencieux... Grand Mystère...?

As-tu une Mère?
Qui est-elle?
Réponds-moi, Seigneur,

Ton enfant

JE SUIS L'AMOUR

Mon bien-aimé,

Tu me poses beaucoup de questions.

Questions qui ne sont pas indiscrètes,
Questions qui, au contraire,
Sont à ton honneur
Et auxquelles je répondrai volontiers.

Tu fais tressaillir mon cœur,
Tu me rends gloire en me demandant ainsi
Qui je suis, où je suis, ce que je fais.

Tu m'as perçu sans me connaître
Tu as reconnu ma grandeur, ma puissance,
Mais aussi, j'espère... ma bonté.
En cherchant ainsi tu es l'enfant,
L'enfant intelligent que j'ai voulu que tu sois;
Tu es l'enfant aimant que j'ai engendré.

Qui suis-je?

Je vais te le dire
Et plus que te le dire:
Je te ferai vivre ce que je suis...
Oui, mon bien-aimé, autre moi-même,

Non seulement je veux que tu me connaisses,
Que tu me reconnaisses,
Mais je veux partager ma vie, mon être,
Te partager tout ce que je suis,
Te partager même ma puissance,
Et j'allais dire mon mystère.

N'oublie pas que tu es mystère toi aussi...

Ne t'ai-je pas fait comme moi: «à mon image!»
De la même substance, si je puis dire,
Avec les mêmes puissances,
Les mêmes aptitudes issues de moi.

Qui suis-je?

Je vais te le laisser sentir, percevoir, vivre
Plutôt que te le dire.

Qui suis-je?

Je suis celui que tu cherches,
Je suis celui qui est amour,
Qui n'est qu'amour
Depuis toujours et pour toujours.

Si tu as compris ce qu'est l'amour
Tu pourras comprendre... un peu.

Ta Mère, ma Mère t'enseignera
L'amour, l'amour: ce que je suis.

A bientôt, enfant de mon amour

JE SUIS LA VIE

Bonjour, cher enfant,

Qui suis-je?

Ma réponse ne t'a certes pas satisfait;
Je vais continuer de m'expliquer
Ou plutôt de me dire à toi.

Pourtant il y a longtemps que je me dis à toi.

Tu n'as pas assez regardé autour de toi,
Tu n'as pas assez regardé en toi,
Tu n'as pas assez écouté en toi.
Ecouté en toi mon amour qui se dit,
Qui te parle, qui te fait, qui te crée
A chaque instant de ta vie.

QUI SUIS-JE?

Je suis la Vie.
Toi, tu es, tu as la vie
Parce que je suis là,
Parce que je suis là, depuis toujours.

Tu es là tu as la vie,
Parce que tu es une parcelle de ma vie,
Une émanation de ce que je suis.

As-tu perçu, réalisé que tu es mystère comme moi?

Que tu es merveille, participant à ce que je suis,
Que tu es grand —, tu es ma vie...

Qui suis-je?

Je suis celui qui te fait, qui te crée,
Celui qui te donne d'être,
Celui qui te rend capable d'aimer.
Je suis celui qui t'aime — ne me croiras-tu pas?

Et par le fait que je t'aime, je te fais, je te crée,
Tu ne peux être sans que je t'aime;
Et je ne peux t'aimer sans que tu ne deviennes.

Je suis toujours cet amour qui aime depuis toujours
Et pour toujours, sans arrêt, constamment,
De toute éternité et pour les siècles des siècles.

Toi, tu as la vie, la vie de moi.
Moi, je suis la Vie, l'existence.

Qui suis-je?

Je ne suis pas ton maître
Puisque tu fais partie de moi-même.
Je suis ton Père
Qui te veut en lui, avec lui,

Oui, mon enfant, avec Marie ta maman.

                    A un autre tantôt,
                    Salut,

                              Ton Seigneur

JE SUIS L'INACCESSIBLE

Bonjour, mon enfant,

Je suis l'Inaccessible

Je suis Celui que tu ne peux atteindre :
Tu es incapable par toi-même de me rejoindre ;
Tu ne peux pas me comprendre,
Ni me voir ni me toucher
Quoique je sois partout et en toutes choses.
Je suis au-desssus de toutes choses ;
Je surpasse et dépasse, je transcende tout.

QUI SUIS-JE ?

Je suis celui qui a fait et fait toutes choses.
Tu ne peux même pas entrer en contact avec moi
«Si le Père qui m'a envoyé ne t'attire ».
Ce n'est pourtant pas par mépris ni dédain.

Regarde dans ta vie à toi, tu verras des exemples.
L'enfant dans le sein de sa mère
Peut-il communiquer avec elle ?
Pourtant elle lui donne sa vie à chaque instant :
Il respire par elle, se nourrit d'elle...
Sans elle pas de vie : c'est la mort, le néant.
Il lui faudra renaître à nouveau,
Sortir de son refuge, du sein,
Entrer dans une autre vie,
Vivre différemment, tout en demeurant lui-même,
Pour être capable, à la longue,
De connaître, d'aimer sa mère
Et de communiquer avec elle.

Il en est de même pour toi :
Tu devras à « nouveau renaître de l'eau et de l'Esprit ».
Pour pouvoir entrer en communication avec moi.

Et là encore, il y a des étapes.

QUI SUIS-JE ?

Je suis celui qui te forme, dans lequel tu respires,
Mais que tu ne peux atteindre pour le moment.
Je te dépasse de trop.
En d'autres mots, tu n'es pas encore assez développé
Pour pouvoir m'atteindre.

Tu as toutes les puissances en petit ;
A toi de les faire valoir.

QUI SUIS-JE ?

Je suis celui qui te donne de pouvoir rencontrer un jour
Celui qui est et par qui tout existe.

Marie te conduira dans ce développement
Qui te permettra de grandir
Pour devenir le frère du Christ,
Mon Fils en qui je t'aime.

Ton Seigneur

JE SUIS LE CREATEUR

Bonjour, mon enfant,

Qui suis-je?

Je suis l'Inaccessible!

Oui, je suis le Dieu trois fois saint
Que tous ou presque, actuellement, bafouent...
Je suis le Dieu des dieux, le Seigneur des seigneurs
Je suis celui qui dit et qui fait
Celui qui construit et détruit.

Je suis le Créateur!

Je gouverne toutes choses avec sagesse,
Je prends soin de toutes choses
Avec amour et tendresse.

J'ai créé et je soutiens dans l'existence
Et la terre et le ciel;
Et rien de l'univers n'échappe
A mon emprise, à mon contrôle,
Mais aussi à mon amour.

Je suis le maître de toutes les destinées ;
Je suis le commencement et la fin
De toute vie, de toutes les vies.
Je fais vivre et je fais mourir.
Mais je n'agis pas par caprice :
Tous mes gestes sont marqués par la sagesse.

Je suis en tout et tout est en moi.

Mais je demeure toujours moi-même et au-dessus de tout.
Je n'ai cependant ni mépris, ni dédain, ni oubli
Pour aucune de mes créatures.

Je les dirige toutes et chacunes,
Respectant la liberté que je leur ai donnée.
Je les couvre tous, ces cœurs faits à mon image,
Je les enveloppe tous de ma tendresse
Et de ma sollicitude incessante, malgré les apparences.

Je suis le Dieu éternel et vivant.

Je viens à toi et je t'appelle.
Je t'ai envoyé et donné mon Fils
Celui en qui j'ai mis
« Toute ma complaisance : écoute-Le ».

Il t'élèvera, te conduira jusqu'à moi,
Moi, ton Dieu, ton Créateur,
Mais surtout, ton Père.

Que Marie, la Mère de ce Fils bien-aimé
Et ta maman à toi aussi,
Guide ton cœur.

                    A bientôt,

                              Ton Seigneur

JE T'HABITE

Bonjour, mon enfant,

Qui je suis?

Je suis l'Inaccessible !
Et pourtant...
Je suis tout près de toi,
Je t'habite, tu es en moi

Et pourtant...

« Tu ne peux venir à moi...
Si je ne t'attire. »

Peux-tu contrôler, saisir la pensée de ton frère?

Et pourtant...

Elle te parvient, te pénètre, te parle, t'interpelle.
Tu ne peux rien sur elle...

Chez moi, la pensée n'est pas produite,
Elle est moi-même...
Elle est création, agir, amour;
Tu ne peux t'en saisir, ni l'atteindre.

Et pourtant...

Elle t'enveloppe, te pénètre, te crée,
Te soutient dans l'existence ;
Elle t'environne de toute part,
Elle te couvre d'une tendresse
Qu'aucun être humain ne peut imaginer,
Qu'aucun père, qu'aucune mère
Ne peut prodiguer à son enfant…

Sollicitude, tendresse de chaque instant,
Pour toutes les fibres de tout ton être.

Je suis l'Inaccessible,

Et pourtant…

Avec quel amour je te regarde, te protège,
Je suis l'Inaccessible, tu ne peux venir à moi,
Mais moi, je viens à toi
Pour te rendre capable d'entrer en contact avec moi
Dans une rencontre filiale, indicible.

C'est moi qui suis venu au devant de la Vierge
C'est moi qui ai formé en elle
Ton frère, mon Fils bien-aimé, Jésus.

Elle donne naissance, la Vierge,
Au Fils de Dieu ;
Elle t'engendre toi aussi à la vie
Que je te donne avec elle.

Et pourtant…

Mystère… Merveille…
Oui, mon enfant,

A bientôt,

Ton Seigneur

113

LE TEMPS DU CAREME

Bonjour, Seigneur,

C'est le temps du carême,

Et pour dire vrai, Seigneur, je n'aime pas ça.
Et je voudrais qu'il n'y en ait pas de carême.
Ça me gêne, ça me dérange.

Ça va être difficile et long, il me semble,
De faire pénitence pendant quarante jours.
Et le Malin ajoute : « Tout cela est dépassé. »

Mes voisins vont rire de moi ;
Je n'aurai pas de force de travailler.
Pourquoi me priver, me mortifier ainsi ?
La vie est assez dure par elle-même :

Et avec tout cela je ne suis pas dans la paix.
Tes paroles me reviennent à la mémoire :
« Si vous ne faites pénitence, vous périrez tous. »
Périr, être condamné, ne pas être sauvé...
Est-ce possible ?

Et je t'entends me répondre encore :
« Large est la voie qui mène à la perdition
Et beaucoup s'y engagent. »
Alors j'ai peur.

Pourtant tu nous as tous sauvés, dis-tu...
C'est vrai, mais je ne serai pas sauvé
Contre ma volonté, ni sans le savoir.

Il me faut donc accepter ce salut, y participer;
Il me faut le désirer, m'en occuper,
Et c'est là, oui, Seigneur, que je commence à comprendre,
C'est là qu'arrivent la pénitence et la mortification,
C'est-à-dire l'effort, le oui à ton cadeau.
Car ton cadeau,
Je dois m'en occuper, m'y intéresser, m'y préparer,
Me rendre capable de le recevoir.

Si je suis trop pris par mes aises,
Si je ne me suis jamais privé de quelque chose,
Si je ne prends pas le temps de vivre avec toi,
Si ce sont mes envies, mes orgueils,
Mes rancunes, mes paresses, mes sensualités
Qui me mènent...
Alors je ne m'en vais pas vers toi...

Oui, je le vois maintenant, Seigneur,
La pénitence me détachera de ce qui n'est pas toi,
Elle me conduira vers toi, me libérera.

Guide-moi, Marie, dans ce chemin
Qui mène à la vie.

Bonjour,

Ton enfant

FAIRE PENITENCE OU PERIR

Bonjour, Seigneur,

« Si vous ne faites pénitence
Vous périrez tous. »

C'est quoi, Seigneur, faire pénitence ?
C'est quoi, Seigneur, périr ?

Tes paroles, Seigneur, sont difficiles à prendre ;
Il n'y a pas d'échappatoire, d'alternative
Et la condamnation est dure.

Périr... c'est plus que mourir...

C'est que, après la mort... ce n'est pas fini,
Ce n'est pas fini... ça commence...
La vraie vie pour ceux qui en ont voulu,
Pour ceux qui s'y sont préparés ;
La vraie mort pour ceux qui n'ont pas voulu de toi.

Etre séparé de toi... rejeté par toi...
Ne pas être avec toi... Toi qui es la vie,
Toi qui es la fin, le pourquoi de ma vie.

C'est donc la destruction de tout mon être,
C'est donc un déchirement atroce,
Déchirement intérieur indescriptible et sans fin :
Ne pouvoir atteindre ce pourquoi je suis fait,
C'est vivre ma mort à chaque instant,
Sans pouvoir mourir pour terminer cette souffrance ;
Souffrance, tiraillement, douleur profonde
Qu'il est impossible de chasser ou de diminuer.

Etre attiré fortement vers toi dans tout mon être
Sans jamais pouvoir t'atteindre ; être même repoussé,
En ajoutant à cela le remords, le regret...
Car j'aurais pu y arriver en faisant quelques efforts
Pour quelque temps seulement
Tandis que cette torture est pour toujours...

Oui, Seigneur, je serais mieux
De faire ces quelques efforts,
De faire pénitence, comme tu me le conseilles,
De faire en sorte que je demeure
Toujours en union avec toi maintenant,
Pour être avec toi encore et pour de vrai,
Quand le temps en sera venu.

Je suis ton enfant, Seigneur, fais-moi grâce.
Je suis l'enfant de Marie aussi ;
Exauce la prière qu'elle te fait pour moi.

                    Salut,
                        Ton enfant qui se sent faible

CHOISIR LA VIE OU LA MORT

Mon enfant,

Puis-je te répéter mes conseils ?

Conseils que j'ai donnés jadis à tes pères :
« Je te propose aujourd'hui de choisir
Ou bien la vie et le bonheur
Ou bien la mort et le malheur ;

Ecoute les commandements
Que je te donne aujourd'hui !
Aimer le Seigneur ton Dieu, marcher selon ses chemins,

Garder ses ordres, ses commandements, ses décrets ;
Alors tu vivras et te multiplieras,
Le Seigneur ton Dieu te bénira...

Mais si tu détournes ton cœur,
Si tu n'obéis pas, si tu te laisses entraîner
A te prosterner devant d'autres dieux et à les servir,

Je te le déclare aujourd'hui,

Tu ne vivras pas de longs jours...
Je prends aujourd'hui à témoin
Contre toi et le ciel et la terre ;

Je te propose de choisir entre la vie et la mort,
Entre la bénédiction et la malédiction ;

Choisis donc la vie pour que vous viviez,
Toi et ta descendance,
En aimant le Seigneur ton Dieu,
En écoutant sa voix, en vous attachant à lui ;
C'est là que se trouve la vie » Deut 30, 15-20.

Crois-tu être mieux traité que mon Fils Jésus ?
Lui qui disait à ses apôtres :

« Il faut que le Fils de l'homme souffre beaucoup
Qu'il soit rejeté par les anciens,
Les chefs des prêtres et les scribes,
Qu'il soit tué et que le troisième jour il ressuscite. »

« Celui qui veut marcher derrière moi,
Qu'il renonce à lui-même,
Qu'il prenne sa croix chaque jour et me suive,
Car celui qui veut sauver sa vie... la perdra...
Mais celui qui perdra sa vie pour moi... la sauvera »
                                        Luc 9, 22-24.

Je suis toujours l'Eternel, le Dieu unique,
Pour toi, en 1978, comme pour tes frères de jadis...
Crains la vie facile, à la mode du temps.

Ne te détourne pas de moi, mon fils,
Sois fort et courageux ;
Ne crains pas. Si tu te donnes,
Je serai toujours avec toi
Ainsi que Marie qui t'aime bien aussi.

                                        Ton Seigneur

JE SUIS VENU REPARER, GUERIR

Mon enfant,

Se mortifier, faire pénitence,

Ce sont des mots de carême
Dans une époque, un temps de facilité,
Un temps d'indépendance.

Oui, mon enfant, c'est l'indépendance d'Adam
Qui a brouillé les cartes :
Refusant d'obéir, de reconnaître sa dépendance
Envers celui qui lui avait donné la vie, l'être.

Ses possibilités, ses puissances, ses capacités
Se sont à leur tour révoltées contre lui ;
Ses passions se refusent maintenant à son contrôle.
Il devient donc un être, un homme
Blessé dans son moi, brisé dans ce qu'il est.

Il ne fait plus le bien qu'il voudrait,
Ni celui qu'il devrait faire ;
Et il fait le mal qu'il ne veut pas
Et celui qu'il ne devrait pas...

C'est l'anarchie intérieure,
Le Créateur est insulté, offensé,
Et la créature blessée...

Tu commences à voir un peu
La grandeur de cette faute
Qui, à première vue, n'a l'air de rien.

Et cet homme, Adam, ce premier homme
Peut-il donner mieux que ce qu'il a ?
Il donne à sa descendance
Ce qu'il est et ce qu'il a :
Un être brisé, blessé, vicié.

Les refus subséquents de sa descendance
Augmenteront la brisure de l'humanité.

Je suis venu, moi le Christ, ton Sauveur,
Je suis venu réparer cette brisure,
Guérir cette blessure.

Je suis venu aussi offrir au Père
Un homme, une humanité
Qui reconnaît sa dépendance.

Je suis venu aussi présenter
Une réparation pour l'offense.

Tu veux demeurer dans la ligne
De l'insoumission, de la révolte ?
Ou entrer avec moi dans le chemin
De la réparation et de la guérison ?

Marie est-elle devenue malheureuse
En se soumettant, en s'abandonnant ?

Salut,

Ton Seigneur

121

JOYEUSES PAQUES

Joyeuses Pâques, mon enfant,

«Je suis ressuscité et je suis toujours avec toi.»

Oui, je me suis relevé,
Je suis redevenu ce que j'étais
Et beaucoup plus.

Je suis sorti de l'anéantissement
Où m'avaient conduit les hommes, mes frères.
Je suis sorti de la mort
Pour ne plus mourir... jamais... jamais :
Je suis ressuscité !

Je suis ressuscité
Avec une puissance jamais égalée,
Avec une transformation totale
De tout mon corps...

Ce corps qui avait été réduit à rien :
Brisé par les coups, blessé par les fouets,
Saisi par la mort.

Ce corps que j'avais abandonné
Et aux hommes et au Père,
Les hommes me l'ont détruit...
Le Père me l'a remis, tout rénové,
Tout transformé : impassible,
Glorieux, plein de puissance.
Le Père me l'a redonné
Immortel comme mon âme...

Je m'étais abandonné totalement
A sa volonté... Regarde-moi maintenant !

Cet abandon, cette remise totale,
J'ai dû la faire pour réparer
L'indépendance d'Adam et la tienne.

Vois-tu un peu ce qu'a apporté
Cette suffisance de ton ancêtre,
Ce que te procure ton indépendance ?
Et par contre ce que produit
La remise de tout ton moi entre les mains de Dieu ?...

Tu peux, toi aussi, ressusciter un jour...

Donne-toi à ton Seigneur...
Aie foi et confiance en lui, le Père très bon.

« Je suis ressuscité et je suis avec toi... »

Marie aussi s'est donnée, abandonnée...
Ne veux-tu pas venir avec nous ?
Pour la vie éternelle,
Pour la PAQUE sans fin ?

Ton Seigneur

JE NE VEUX PAS TE REJETER

Bonjour, Seigneur,

J'ai fait mes Pâques !

Je suis allé dire mes péchés ;
J'ai essayé d'en dire au moins un ou deux...
Et j'ai réussi à me rendre jusqu'en avant de l'église
Pour recevoir l'hostie.

J'ai toujours cru, Seigneur, que c'était obligatoire.
Tu sais que je ne suis pas « un rongeux de balustres »
Mais manquer mes Pâques... Non !

Pour dire vrai : je ne sais pas trop pourquoi...
Bien que je ne vienne pas bien souvent,
Je ne veux pas te renier ni t'offenser,
Je ne veux pas te rejeter.
Qui sait ce qui pourrait m'arriver alors ?

« Mes Pâques »... c'est quoi, Seigneur ?
C'est venir te dire, à ma façon,
— Je ne suis pas instruit moi —
C'est venir te dire que je te veux toujours
Malgré les apparences, malgré mes péchés mêmes,

Que je fasse des choses défendues
Ou que je ne fasse pas des choses commandées,
Ça ne veut pas dire que je ne veux plus de toi.

La vie, le travail, la fatigue, la maladie,
Les habitudes, les amis qui nous poussent...
Que veux-tu que je fasse dans tout cela?
Je ne suis pas un saint.
Et je n'ai rien pour en faire un...

Au fond, Seigneur, je suis venu te dire,
En faisant mes Pâques — comme j'ai pu —
Que je suis encore de ton côté.

Je te demande, Seigneur,
Comme le bon larron sur la croix,
De te souvenir de moi.

Je ne suis pas venu bien souvent,
Mais je suis venu tous les ans te voir.
Quand viendra mon tour de mourir,
Pense surtout au peu de bien que j'aurai pu faire.

Que Marie, ta Mère, que j'ai prié aussi,
— De temps à autre —
Prie pour moi à l'heure de ma mort.

Amen.

Bonjour, Seigneur

TU ES MORT AVEC LE CHRIST

Bonjour, Seigneur,

« Ensevelis dans la mort avec le Christ

C'est dans sa mort que vous avez été baptisés.
Vous êtes morts avec le Christ,
Par le baptême dans sa mort,
Vous avez été mis au tombeau avec lui. »

Je trouve cela pas mal compliqué, Seigneur,

Mort, baptême, résurrection, vie nouvelle,
Qu'est-ce que tout cela?
Qu'est-ce que tu veux dire avec ces expressions?

Je ne suis pas encore mort ni ressuscité
Et je ne veux pas mourir tout de suite...

Ecoute, mon enfant,

Ce n'est pas si compliqué que cela.
« Enseveli par le baptême dans le Christ »,
C'est comme si tu disparaissais tout à coup
Pour réapparaître tout transformé.

On ne te reconnaîtrait plus:
Pourtant, tu es bien encore toi, sans être le même...
Le baptême te change, te transforme,
Fait de toi un autre homme, un autre personnage.

Ton âme reçoit une vie nouvelle.
Et ce changement se continue aussi longtemps que tu le
　　veux.
Tu es changé pour le mieux...
Non seulement tu ressembles maintenant au Christ,
Mais tu es capable de devenir de plus en plus
Comme lui, pareil à lui, vivant de lui et par lui.

Le Père, en te regardant maintenant,
C'est le Christ, son enfant, qu'il voit.
Parce que dans le baptême, le Christ t'a revêtu,
T'a habillé, pour ainsi dire,
De sa beauté, de sa puissance, de sa grâce.

Alors on dit maintenant : « Tu es mort avec le Christ. »
Tu es disparu — en lui —
Pour réapparaître transformé — comme lui. —

Ceci se passe au niveau de ton âme.

Ton âme, ton esprit sont rénovés,
Comme ressuscités à une vie nouvelle ;
Ils participent à une vie nouvelle, celle du Christ.

Ton corps aussi ressuscitera un jour, comme le Christ,
Pour être avec Lui — puisqu'il a dit :
« Où je serai, vous serez vous aussi. »

— Je commence à comprendre un peu, Seigneur.

J'espère que Marie qui t'a enseigné tant de choses
M'instruira moi aussi !

　　　　　　　Bonjour,
　　　　　　　　　　　Ton enfant

127

LE CHRIST, MON FILS

Bonjour, mon enfant,

Je te disais : « tu es passé à une vie nouvelle,
À une vie de ressuscité ».
Ça veut dire que tu es mort, que tu as abandonné,
Que tu as rejeté satan et le péché,
Que tu leur as dit non.

Ça veut dire que tu as accepté, que tu as décidé
De ne plus écouter le Malin ou ton orgueil indépendant,
Et que tu veux maintenant faire ce que je te dis.

Tu ne veux plus dire non au Seigneur,
Tu ne veux plus faire ton indépendant
Comme Adam et Eve l'ont fait,
Mais tu reconnais que je suis ton Seigneur.

Mourir au péché, c'est accepter ton Seigneur.

Car pécher, c'est quoi ?
C'est dire « non » au Seigneur, à son amour.

Baptisé, tu acceptes alors ton Créateur.
Ton maître ce ne sera plus toi,
Ton maître ce ne sera plus le démon, le péché,
Mais ce sera le Seigneur ton Dieu.
Qui ne te veut que du bien et du bonheur.

Tu meurs donc à toi-même
Pour prendre la vie du Christ.

Le Christ — mon fils — a accepté de dire oui, un oui total,
De dire oui «jusqu'à la mort,»
Pour te montrer et te mériter
Le chemin qui mène au Père.
Il est vraiment mort au péché, au refus.

Et cela à ta place, lui-même n'ayant pas péché,
N'ayant jamais dit «non» au Père.

Ne m'ayant jamais dit «non»,
Je me devais alors de le récompenser, de le ressusciter,
Pour montrer ce que je puis faire,
Et ce que je veux faire avec tous ceux
Qui, comme lui, m'acceptent,
Me reconnaissent comme leur Créateur et maître.

Ceux qui me veulent, comme lui m'a voulu,
Je les transforme radicalement comme lui,
En d'autres moi-même, dans la gloire.

Oui, mon enfant, le Christ, je l'ai ressuscité.
Il est toujours avec toi
Ainsi que sa Mère.
Suis-Les — Ils te conduiront à moi.

Ton Seigneur

MARIE, COMBLEE DE JESUS

POUR TOI, MARIE, EN CE MOIS DE MAI

O Marie, comblée de joie,
Comblée de grâce,
Comblée d'amour,
Marie, comblée de Jésus.

O Marie, comblée de puissance,
Comblée de force,
Comblée de royauté,
Marie, comblée de Jésus.

O Marie, comblée de beauté,
Comblée de grandeur,
Comblée de bonté,
Marie, comblée de Jésus.

O Marie, comblée de sagesse,
Comblée de science,
Comblée de crainte,
Marie, comblée de Jésus.

O Marie, comblée d'éternité,
Comblée de la divinité,
Comblée de la Trinité,
Marie, comblée de Jésus.

O Marie, comblée de souffrance,
Comblée de douleur,
Comblée de peine,
Marie, comblée de Jésus.

Toi, fille de Dieu,
Toi, temple de Dieu,
Toi, cœur de Dieu,
Toi, cœur de Jésus.

Toi, Mère des mères,
Toi, Mère des orphelins,
Toi, notre Mère,
Toi, Mère de Jésus.

Toi, souveraine,
Toi, la grande reine,
Tu règnes sur nous,
Tu règnes sur Jésus.

Ecoute la prière de tes enfants,
Qui te regardent et disent
Avec joie :

« Bienheureuse
Comblée de grâce
Le Seigneur est avec toi. »

Ton enfant

CONSECRATION A MARIE*

O Vierge Marie,
Tu as présenté au Père
Le Fils qu'il t'a donné,
Jésus, ton enfant ;
Nous venons, avec confiance, te demander
De nous présenter, nous aussi, au Seigneur.

Nous nous donnons et consacrons à toi
Pour que tu nous portes
Et nous conduises au Seigneur.
Nous te donnons et consacrons nos personnes,
Tout ce que nous sommes et tout ce que nous avons :
Nos parents, nos amis, nos voisins,
Tous ceux avec qui nous vivons,
Tout ce que nous avons et possédons.

Nous voulons que tu prennes soin de nous tous,
Que tu nous conduises au Christ-Jésus.
Seuls nous ne pouvons rien,
Nous avons besoin de toi.
Nous te faisons confiance
Et nous savons
Que tu prendras soin de nous.

Nous t'offrons et te consacrons
Ceux qui ne sont pas venus,
Tous ceux-là que tu aimes quand même
Et que tu veux sauver.

Tu es notre Mère ;
Tu obtiendras pour nous
La miséricorde, le pardon,
La foi, l'espérance, la force, le courage,
Dans les temps difficiles où nous vivons.

Conduis-nous à ton Fils.
Donne-nous la foi suffisante pour venir
Le rencontrer dans la messe et l'Eucharistie.

Nous nous sentons seuls
Parce que nous l'avons laissé seul
Dans son tabernacle...

Marie, douce Mère,
Nous te faisons confiance
Et nous te remercions
De nous avoir écoutés. Amen.

*Consécration faite au niveau paroissial durant l'Année Sainte.

TABLE DES MATIERES

Collection
SÈVE NOUVELLE

Achevé de réimprimer
au 4ᵉ trim. mil neuf cent quatre-vingt-trois
sur les presses
de l'imprimerie des Éditions Paulines
Sherbrooke, Qué. (Canada)